MARÍLIA PASSOS **INTRAGÁVEL**

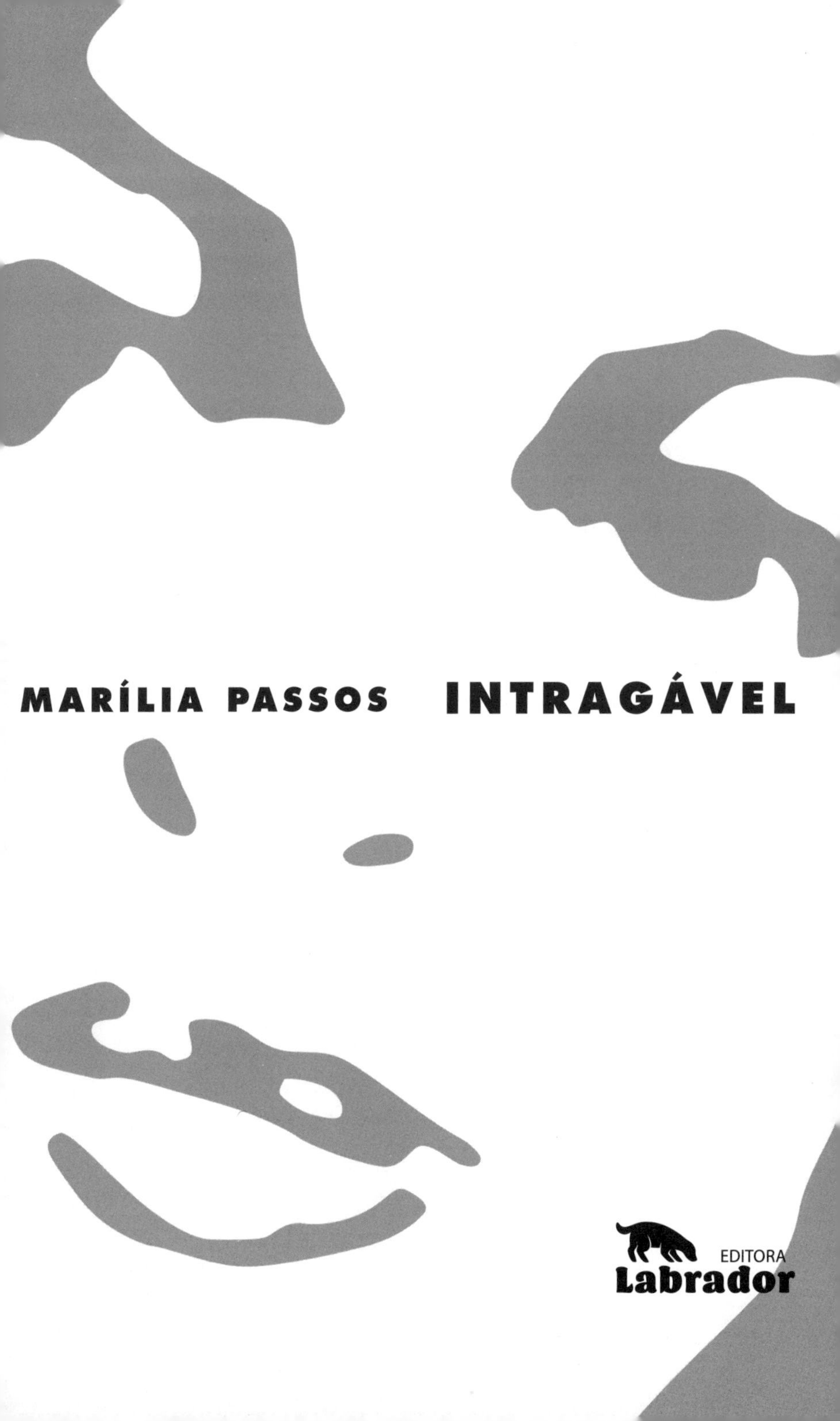

MARÍLIA PASSOS   **INTRAGÁVEL**

Copyright © 2019 de Marília Passos
Todos os direitos desta edição reservados à Editora Labrador.

Coordenação editorial
Erika Nakahata

Capa
LSD (Luiz Stein Design)

Projeto gráfico e diagramação
Felipe Rosa

Revisão
Andressa Bezerra Corrêa
Daniela Georgeto

Dados Internacionais de Catalogação na Publicação (CIP)
Angélica Ilacqua – CRB-8/7057

Passos, Marília
  Intragável / Marília Passos. – São Paulo : Labrador, 2019.
200 p.

ISBN: 978-65-5044-013-8

1. Ficção brasileira I. Título

19-1918   CDD B869.3

Índice para catálogo sistemático:
1. Ficção brasileira

EDITORA
Labrador

Editora Labrador
Diretor editorial: Daniel Pinsky
Rua Dr. José Elias, 520 – Alto da Lapa
05083-030 – São Paulo – SP
+55 (11) 3641-7446
contato@editoralabrador.com.br
www.editoralabrador.com.br
facebook.com/editoralabrador
instagram.com/editoralabrador

A reprodução de qualquer parte desta obra é ilegal e configura uma apropriação indevida dos direitos intelectuais e patrimoniais da autora.

A Editora não é responsável pelo conteúdo deste livro.
A Autora conhece os fatos narrados, pelos quais é responsável, assim como se responsabiliza pelos juízos emitidos.

*Certas coisas só são amargas
se a gente as engole.*

Millôr Fernandes

CAPÍTULO 1

Perdi o respeito pelos homens, principalmente pelo tipo de homem com o qual convivo todos os dias. Homens bem-sucedidos, ricos e heterossexuais. O topo da cadeia alimentar? Só se for a cadeia alimentar de uma loja de conveniência, onde esses grandes predadores entram apressados e compram pacotinhos *low carb* e água gaseificada importada da França. Eles se acham verdadeiros leões, mas eu sei que por trás da juba mora uma singela gazela. Sabem o que fazem quando fura o pneu? Ligam para o seguro mandar alguém para trocar. Já vi com meus próprios olhos! Se acham muito importantes dentro de seus carros caros, mas não sabem nem trocar o pneu! E de que adianta falar quatro línguas se não aprenderam a dar bom-dia ao porteiro? Mas o que mais me irrita é a entonação mais grave quando falam de si, como quem começa um assunto muito importante. Esses homens não passam de bebês chorões, prontos para espernear quando são contrariados!

Claro, nem todo homem é assim. Por exemplo, o meu marido. Meu marido é um *loser*. Não é má pessoa, claro, mas é um *loser*. O Lauro se formou em marketing e, depois de alguns empregos que serviram apenas para dizer que ele não era um desempregado, veio com um papo de mate para cima de mim. Disse que faltava isso em São Paulo, uma lanchonete que vendesse mate, que no Rio de Janeiro tinha em toda esquina, mas aqui não. Seria um sucesso! Sim, claro, um sucesso! Nunca vi nada mais próspero do que a loja de mate dele! É tanta prosperidade que, vira e mexe, vejo dinheiro saindo de nossa conta para cobrir o milagre da multiplicação das dívidas da loja dele. Muitas vezes chego em casa e encontro o rei do mate dormindo em frente à televisão, que exibe um desses programas de esporte radical. Tenho pena dele. Quando o conheci, ele passava os fins de semana escalando pedras, montanhas, geleiras, glaciares. Sua pele estava sempre bronzeada, suas mãos eram cheias de calo e parecia que ele não tinha medo de nada. À noite, quando a gente se via, ele ficava me contando suas aventuras. Um dia ficou preso numa dessas montanhas do outro lado do mundo e foi resgatado semiacordado depois de três dias. Chegou de viagem contando sua quase morte com brilho nos olhos. Como não casar com um homem desses? Ainda mais que eu já era quase trintona e não tinha nem tempo nem disposição para procurar algo melhor. Mas, depois que vieram os filhos, ele nunca mais saiu para uma viagem dessas que você não sabe se a pessoa volta. Era uma delícia quando eu ficava em casa pensando se ele estava vivo ou soterrado no gelo — torcendo para que estivesse vivo, claro, assim teria um monte de histórias para me contar. Mas, depois dos filhos, a coisa mais arriscada que Lauro faz é atravessar a rua com o sinal vermelho para os pedestres. Depois que as crianças dormem, ele liga a televisão. Imagino que se sinta vazio vendo programas em que as pessoas fazem o que um dia ele fez. Mas nunca diz nada. Prefere ficar me enchendo o saco falando que não sou uma boa mãe, em vez de dizer:

"Estou indo para o Everest mês que vem, se vira aí com as crianças". Graças a Deus! Imagine, eu sozinha com os dois? Mas não tinha do que reclamar. Gostava da minha vida. Sabia lidar com aquelas gazelas que fingiam ser leões. Lauro podia não escalar mais montanhas, mas geria uma casa como ninguém, e eu tinha ido mais longe do que podia imaginar num sistema tão fálico como o mercado financeiro. Até que, um dia, no jantar comemorativo com a minha equipe, uma tempestade se instaurou em minha vida e eu tive que aprender a navegar através dela.

Todo ano nosso jantar era polêmico. Eu que escolhia o restaurante aonde iria com os quatro *seniors* da minha equipe, todos muito bem-vestidos com seus ternos e sapatos Ferragamo. Todo ano eu bebia mais champanhe do que o recomendado e acabava me excedendo. Ficava tão inconveniente que era premiada com problemas com minha equipe que duravam semanas. Aquilo era uma chatice tão grande que, para evitar um novo desastre, prometi a mim mesma que, pela primeira vez, não beberia champanhe durante o jantar. Acordei naquele fatídico dia e a primeira coisa que fiz foi me olhar no espelho e dizer: "Clarissa, sem champanhe!". Dirigi até o banco repetindo: "Clarissa, sem champanhe!". E quando cheguei ao restaurante, aquilo já estava tão entranhado em mim que tinha certeza de que ficaria na água com gás com um limão espremido. Aquele não era apenas um jantar de fim de ano, mas um jantar de comemoração pelos bons números da nossa área. Contaríamos com a ilustre presença de dois sócios do banco, que estavam atrasados, claro. Quem anda de helicóptero sempre acha que tem o direito de se atrasar. Eu estava completamente entediada com aqueles homens falando de barcos, viagens, restaurantes e sei lá que merda que o dinheiro deles podia comprar para eles se sentirem mais importantes. Aí, pensei: uma garrafa não faz mal a ninguém, além do mais, não é minha culpa que os sócios estejam tão atrasados. Eu havia lido naquela semana que a Angela Merkel tinha a mania de contar duas vezes a mesma piada para as mesmas pessoas, só para ver como elas reagiam. Depois da primeira garrafa, resolvi aplicar o método com minha equipe. Uma bobagem, claro! Sabia desde que o mundo é mundo que aqueles quatro projetos de homens ririam. E olha que eu havia contado aquela piada menos de três dias antes! Eles podiam ter dito: "Essa eu já conheço!". Mas não, os quatro riram. Riram, repetiram o final da piada rindo e se entreolharam compactuando que continuariam rindo. Fracos! Todos eles, uns fracos! Todos os homens, uns fracos! Mas não seria por isso... Esperei pacientemente os sócios chegarem e dei início à minha vingança.

Começaria com quem? Eduardo, claro. É ele quem ri mais alto. Pedi que dissesse aos sócios qual era a expectativa da área para o país nos próximos doze meses e como nos prepararíamos para isso. Ele me olhou de canto de olho. Até um estagiário consegue perceber quanta besteira ele enfia nos discursos bem elaborados que usa para encantar os clientes. E ele é bom nisso, por isso está na equipe. Entre uma besteira e outra, vai massageando o ego do cliente até conseguir fisgá-lo. Mas ali, com os sócios do banco, não seria tão fácil. Eduardo apelou ao Luiz, tentando se safar:

— Primeiro, acho que deveríamos ouvir a opinião do Luiz. Grande parte do sucesso que tivemos esse ano pode ser creditado a ele. Claro, tem também nosso trabalho, batemos todas as metas, trouxemos as operações de que precisávamos. Mas fale, Luiz: para o próximo ano, qual é nossa expectativa?

Ele ficou tão exposto tentando se escorar em Luiz que eu poderia ter ficado satisfeita. Mas eu tinha bebido champanhe, queria me divertir mais:

— Eduardo, sua opinião é importante para nós!

Ele se endireitou na cadeira, bebeu um gole d'água e suspirou. Hahaha, começaria o show. Falou besteiras por quase dez minutos. Eu estava me divertindo, mas era claro o desconforto dos outros da equipe. Eles sabiam que seria um por um.

— Luiz, quer acrescentar algo ao que Eduardo falou?

Luiz teria que aniquilar as besteiras ditas pelo colega. Colega, não, pois nunca foram muito próximos, mas Luiz não conseguiria fazer Eduardo de escada, então começou dizendo que só iria acrescentar poucas coisas e, de um jeito inteligente, disse o oposto. Luiz é brilhante ao falar do mercado. Mas eu conheço seu ponto fraco:

— Você acha que o cenário lembra 2008, Luiz?

— Não, esta crise tem outras raízes.

— Que bom, pois não queremos passar pela mesma corrida bancária que o Ouro passou por não ter se preparado para a crise, não é?!

Luiz trabalhava no Ouro em 2008. Apesar de brilhante, comete erros, claro. Em 2008 foi o principal deles. Estava comprado em bolsa, dobrou a aposta no meio da crise e quase quebrou o banco. Ficou muito tempo sem dormir, não sei se dorme até hoje. Sua carreira teria ido à merda se não fosse eu ter lhe dado uma chance. Mas deixou de ser um proeminente *trader* para se tornar um analista de *investment banking* que não levantava da cadeira antes das onze da noite. Ficou tremendo por eu ter mencionado a quebra do Ouro, mas não falou nada, apenas suava.

Com ele eu já estava satisfeita, mas os sócios adoravam falar de fracassos que não fossem os deles, então ficaram repassando os detalhes dos últimos suspiros do Ouro, que em 2011 sofreu intervenção do Banco Central. Eu me servi de mais champanhe e fiquei mirando Philippe. Tão lindo o Philippe, e tão desinteressante.

— Ei! — eu disse. — Vamos falar de coisas boas e rir um pouco? Estamos aqui para comemorar. Philippe, conte a eles por que perdemos o mandato da General Foods...

A história oficial era que eles tiveram uma oferta melhor do outro banco que estava na jogada. Foi isso que Philippe começou a contar aos sócios. Sua boca estava seca, mas ele não podia beber um gole d'água, senão denunciaria seu desconforto pelo tremor de suas mãos. Estava com medo de que eu contasse que o Ressongue pai, fundador da empresa, o esperou nu para uma reunião em seu apartamento. Philippe me contou em choque que teve que ser agressivo para sair ileso. Perguntei se alguma vez havia extrapolado no seu charme de galã bem-nascido nas reuniões, mas ele jura que não. Duvido. Dinheiro é guerra!

— Você acha que o velho Ressongue ficou nu diante da concorrência? — Coloquei fogo na conversa.

— Como assim, nu? — perguntou um dos sócios.

O príncipe das Astúrias tremeu ao ouvir a palavra "nu". Estava tão fragilizado — ele que é tão senhor de si e do seu topete — que achei melhor encerrar o assunto, não dando aos sócios o gostinho de conhecer a versão verdadeira.

— O velho Ressongue expôs demais as fragilidades da General Foods para Philippe, que acabou sendo muito transparente no *valuation*... — eu disse, balançando a taça de champanhe.

Bem, faltava o Miguel. Miguel era o pior de todos. Ele se levantou para ir ao banheiro e não viu o garçom ao seu lado. Um dos sócios havia pedido sobremesa e ela caiu em seu colo. Miguel se desesperou. Pegou um guardanapo para limpar o sócio, irritando-o ainda mais. Poxa, Miguel, precisava dessa trapalhada? Não seria necessário dizer mais nada. Era a hora de pedir a conta.

CAPÍTULO 2

Apesar de uma leve dor de cabeça, cheguei ao banco animada. Estava sentada na minha mesa, olhando os *newsflows* na Bloomberg, quando meu telefone tocou:

— Hoje tem reunião da escola! Às sete horas.
— Legal. Você vai?
— Claro, e você também!
— Impossível, estou cheia de coisa pra resolver aqui no banco.
— Já é a quinta reunião do ano. Você vai ao menos para dizer aos meninos que já conheceu a professora deles.

Ai, ai... Lá vem o rei do mate com suas argumentações sentimentais. Não brigaria naquela hora, o dia estava apenas começando.

— Tá bom, Lauro. Vou à reunião...

Um clássico, a reunião de escola. Eu chegando atrasada, os outros pais sempre participativos e eu precisando responder os e-mails que estão entrando no meu celular. Claro que não iria. Essas reuniões são para desempregados ou para quem vende mate em academia. Para estar lá às sete, tenho que sair às seis do banco. Sabe quem sai do banco às seis? Ninguém! A não ser que por volta desse horário o Luiz apareça na sua mesa:

— Clarissa, preciso conversar com você.

Ele estava com aquela cara de esfomeado que me fazia pensar que um prato de comida e um bom champanhe seriam mais eficientes do que qualquer conversa comigo. Acho que um dos problemas de Luiz era que comia pouco, estava sempre com cara de fome, de cachorro magro abandonado na rua. Antes de responder, olhei o relógio e dei um pulo da cadeira. Enquanto bloqueava o computador e recolhia minhas coisas, perguntei se era urgente.

— Sim — respondeu ele.

— Luiz, hoje tenho reunião com a professora do Antônio. Se eu não chegar à escola na hora, o Lauro me mata.

Ele estava realmente abalado. Suas mãos tremiam.

— Vá pra casa, Luiz. Encerre o dia. Amanhã conversamos, pode ser?

Não fiquei esperando a resposta. Peguei minha bolsa e voei dali, já que ele estava na iminência de desabar em um de seus rompantes emocionais.

Entrei na sala e Lauro havia guardado um lugar ao seu lado, naquelas cadeirinhas de criança superconfortáveis em que a escola obriga os pais a se sentarem nessas reuniões. De cara, fico com vontade de ir embora. Custa colocar uma cadeira de adulto? Todos os pais estavam desenhando. A professora me passou um papel em branco e pediu que eu desenhasse o que espero para o futuro dos meus filhos. Fuzilei Lauro com o olhar, mas ele fingiu que não viu, estava muito concentrado desenhando um globo terrestre. A mãe ao meu lado desenhava várias pessoas de mãos dadas, num estilo "Imagine all the people" de ser. Vi corações, árvores, estrelas. Um universo tão colorido e tão perfeito que me fez pensar que uma nave transportaria as crianças para outro planeta. A folha de papel na minha frente continuava intacta. A professora passou por mim e, como se eu fosse uma de suas alunas, me incentivou a também desenhar algo bem colorido. Tons de verde, serve? Desenhei mal e porcamente algumas notas de dólares. Quando Lauro viu o desenho, tentou pegar a folha, mas a professora foi mais rápida. Fez cara de reprovação, claro. Divido o mundo entre as pessoas que adoram dinheiro e as que acham que enganam os outros dizendo que não gostam. Claro que a professora era desse segundo grupo, mais uma que nunca passou fome e acha bonito dizer que dinheiro é secundário. Pergunte aos faxineiros do banco se gostam de dinheiro. Ou à sua faxineira, que limpa sua privada. A necessidade ao menos deixa as pessoas menos hipócritas.

Meu celular não parava de vibrar na bolsa, já devia ter dezenas de e-mails para responder. A reunião continuou com fotos das crianças ao longo do ano, listas das coisas alcançadas, das coisas que estavam por vir... E eu tentando entender por que precisava estar ali. O Lauro faz umas exigências que não dá para compreender. A professora falava muito em valores humanos; e, cada vez que repetia isso, olhava para mim, claro. Aqueles que dizem não gostar de dinheiro são os mesmos que se sentem detentores dos valores mais puros, mais nobres e mais humanos. E meu telefone vibrando. Aí começou o espaço para as perguntas dos pais. Meu filho isso, meu filho aquilo, meu filho, meu filho, meu filho. É tanto "meu filho" que nem sei onde encaixo os desenhos. "Imagine all the people living life in peace". Até que uma mãe perguntou como a escola protegeria seu filho da frustração que seria a mudança de turma. Aí já não deu. Mesmo Lauro tendo me proibido de usar o celular, peguei o aparelho na bolsa e comecei a responder aos quinhentos e-mails que chegaram desde que saíra do banco. Vai me dizer que ele tem saco de ouvir aquelas mães malvestidas que acham que seus filhos são os seres mais importantes do planeta? Sim, porque não vai me dizer que elas são boazinhas e eu a malvada só porque não fico levantando a mão para perguntar se a professora dorme e acorda pensando em como vai tratar meu filho como o príncipe que é. Todas mães de príncipes, essas desocupadas. Vou perguntar para o Lauro, quando ele vier me acusar de ser uma péssima mãe, se algumas dessas mulheres maravilhosas deixam de olhar para o próprio umbigo para ver as estatísticas: 50% das crianças no Brasil nascem sem condições mínimas de saneamento básico, 23% vivem em situação de extrema pobreza e mais 7% sofrem de desnutrição. E ela vem perguntar se a professora está preparando o filho para a enorme frustração de mudar de turma? Estude um pouco de estatísticas socioeconômicas, minha filha!

Saí da reunião bufando, mas Lauro fez pouco-caso. Disse que teria outra no dia seguinte, com a professora do João, e que contava com minha presença. Tive um ataque de riso, daqueles que deixavam Lauro louco de raiva, tanta raiva que conseguia ver em seus olhos a vontade de me esgoelar; mas, naquele dia, em vez de raiva, vi em seu rosto apenas cansaço. Forcei o riso por mais uns segundos, mas ele apenas suspirou e saiu caminhando para o seu carro. Fiquei parada em frente à escola tentando entender sua reação. Talvez estivesse de saco cheio de mim. Tudo bem, faz parte de qualquer casamento. Talvez estivesse precisando de umas férias; claro, coitado, ninguém aguenta ficar cuidando da casa e dos filhos sem nenhum *break*. Quando chegasse em casa, diria para ele: "Vai... Eu te dou umas férias! Viaje, se divirta um pouco, escale, esquie, faça o que quiser. Só não me peça pra participar de uma reunião dessas amanhã, senão, em vez de dólares, eu poderia desenhar algo muito pior!". Mas, quando entrei em casa, ele já estava dormindo. Melhor assim. A casa funcionava muito bem com Lauro no comando. Apesar da loja de mate e daquelas exigências tão descabidas, tipo me fazer participar de uma reunião na escola, Lauro era um bom marido.

Cheguei ao banco na manhã seguinte e Luiz estava me aguardando na sala de reunião. Meu bom humor acabaria depois de dez minutos de conversa. Ele se levantou para eu me sentar, como sempre. Estava com a cara um pouco melhor do que na véspera, pensei que talvez tivesse tido um café da manhã reforçado. Não disse que o problema do Luiz era falta de comida?

— Clarissa, não vou ficar aqui apontando seus defeitos porque acho você muito nova para ouvir o que eu tenho a dizer. E também agradeço pelo que fez por mim quando me contratou... eu já dava minha carreira como morta. Enfim, vou me desligar do banco.

O blá-blá-blá anual.

— Luiz, você sabe que é importante pra gente...

— Por isso mesmo... não mereço ser humilhado como você fez no jantar de terça.

Todo ano eu prometo a mim mesma que não vou beber champanhe nesse jantar, e sempre bebo além da conta...

— Não foi essa minha intenção, Luiz. Peço desculpas se de alguma forma fui inconveniente.

— Inconveniente? Acha que o sadismo com que humilha sua equipe pode ser chamado de inconveniência?

Ai, Jesus! Tudo de novo!

— Luiz, acho que nossa conversa seria mais madura se você apontasse o que o incomoda em mim, pois sinto que, de alguma forma e sem perceber, não estou te tratando como merece.

— Já disse, não quero ficar falando dos seus defeitos. Você sabe melhor do que eu o prazer que sente em nos humilhar. Eles fingem não se importar, mas eu não consigo. Você nos paga bem? Sim! Você nos dá liberdade? Sim! Consegue tirar o melhor de nós? Sim! E, mesmo assim, saímos de cada encontro com você nos sentindo um lixo.

— Você quer dizer que sou muito dura ao criticá-los?

— Dura? Você é um monstro.

Logo em seguida veio o choro, claro. O choro anual. Aproximei-me dele, coloquei a mão em seus ombros e fiquei por vinte minutos falando que ele era um profissional brilhante, que sua carreira seria muito longa se ele não desistisse no meio do caminho, que entendo que ele se sinta inseguro num momento de crise como aquele. Na real, acho que o Luiz é brocha. Porque ele é muito inteligente, um dos homens mais inteligentes que já conheci, e ele sabe disso. Então ele deve ter alguma falha primordial para se sujeitar a isso, pois, julgando pela sua inteligência, ele seria um homem muito arrogante, que se sentiria superior a todos ali. Inclusive, sei que as posições estão trocadas: ele tem mais qualidades para estar na minha cadeira do que eu. E aceita essa inversão calado. Ele fica na dele, julga sem ser cruel a imbecilidade do Eduardo e do Miguel, não tira sarro do narcisismo de Philippe, é um trabalhador sério, justo e calado. E brocha, claro. É o seu pau mole que lhe concede a sua humildade.

— Vou ficar mais atenta às minhas falhas. Peço que me ajude a ser uma líder melhor. Preciso de você aqui, Luiz!

Ele sempre se sente envergonhado do seu choro. Eu saí de perto e fiquei olhando o trânsito da Faria Lima através da janela para ele se recompor. E assim resolvemos nossa questão até o próximo ano.

Voltei para minha mesa com a cara de quem estava refletindo sobre como ser uma pessoa melhor, mas na verdade estava puta. O Luiz me deixa louca com aqueles choros. O que ele quer? Que eu me sinta um lixo? Que culpa tenho eu se ele não consegue se proteger da crueldade do mundo? Ele é brocha e acha que por isso pode receber cacetada? Porque, na boa, chorar dois dias depois sobre seu algoz não pode ser suficiente para o orgulho ferido dele. Proteja-se, porra. Levante-se, vire a mesa, me xingue, bata a porta, escreva uma carta ao RH, me processe por assédio moral, qualquer coisa, mas não venha com os olhos cheios de lágrimas e o ouvido peludo esperando palavras que o apaziguem para sobreviver a um desaforo bem remunerado por mais um ano. Percebe a situação em que ele me deixa? Aí tenho que passar o dia repetindo para mim mesma que não sou culpada pelas fraquezas da minha equipe. Faço meu trabalho, reconheço o valor de todos eles! Às vezes extrapolo, claro, mas o mundo é uma selva! Para eles, para mim, para todo mundo. E eu não fico em casa chorando! Uns frágeis, esses homens! Pergunte à secretária ou à recepcionista se ela pede demissão cada vez que é humilhada. E humilhada por quem? Por esses chorões que vêm com esse blá-blá-blá anualmente para reclamar de mim. Mas o único que pede demissão é ele, pois é o único que sabe que não é tão fácil substituí-lo, porque, se fosse, pode ter certeza de que eu não aguentaria mais um ano disso.

Tentei me concentrar na Bloomberg, mas decidi descer para um café. No balcão, pedi à Carol um expresso e um éclair. Precisava de um doce. Depois de me servir, ela veio me mostrar a foto do aniversário da filha.

— Olha o bolo, ficou lindo!
— Bonito mesmo. Ela ficou feliz?

— Muito. Ela começou um desenho pra agradecer à senhora. Nem devia ter falado porque era pra ser surpresa...
— Então vou fingir que não escutei.
— Olha aqui, eu, ela e minha mãe.

Ela me mostrou uma foto das três gerações da família vestidas de rosa e sorrindo atrás de uma mesa toda enfeitada de doces e com o bolo no centro.

— Ficou lindo mesmo. E o pai, foi?
— Nem convidei.
— Está certa.
— A senhora quer água com gás?
— Por favor, Carolina.

Ela voltou para me servir e, cochichando, falou:
— Ontem servi a mesa do seu Eduardo e dos dois outros que me esqueço o nome. Eles falaram alguma coisa de que a senhora sairia do banco. Está tudo bem?
— Hã?! Você conseguiu ouvir mais alguma coisa?
— Tentei, mas não consegui.
— O que será que é?
— Eles estavam nervosos, falando alto...
— Isso é normal.
— Eu admiro a senhora.
— Por quê?
— Por trabalhar com esses homens. Quase não vejo mulher aqui, né? E a senhora parece ser a única tão importante quanto eles.
— Ninguém é importante aqui, não, Carol. E você deveria é admirá-los...
— Por quê?
— Por conseguirem trabalhar comigo. Com certeza já conhece minha fama.

— Conhece a história do coração mole e do coração duro?

— Não.

— A gente tem que ter o coração duro o suficiente pra não se deixar abater, mas mole o suficiente pra isso não virar seu ponto fraco, senão resseca e qualquer pedrada o transforma em pó. Talvez a senhora só esteja precisando amolecer um pouco seu coração.

— Talvez. Você anota na conta? Vou voltar pra mesa. Mande um beijo pra Kellen.

— Obrigada! Amanhã acho que já trago o desenho.

— Tá bom, passo aqui amanhã.

Coração mole... o que eu estava precisando era dar uma boa prensa na equipe. Será que estavam articulando contra mim? Não acreditaria... Mas, se tiver algo, é só espremer o Eduardo que ele fala. Ai, como sai caro tomar umas taças a mais de champanhe. Ao voltar do café, o vi sentado em sua mesa, que fica na fileira anterior à minha. Inevitavelmente passo por ele. Peguei o porta-retratos que fica ao lado do seu computador:

— Mudou a foto?

— Sim.

— Gostava mais da outra, mais espontânea.

— A Tati que inventou de fazer uma sessão da família.

Se tem uma coisa ridícula é foto de família com todos vestindo o mesmo tipo de roupa. Eduardo, a esposa e os três filhos vestiam camisa branca e calça preta. Uma graça!

— Olhe pelo lado bom, ela tem orgulho da família que tem.

Coloquei o porta-retratos no lugar com delicadeza, reverenciando aquele momento tão natural ao qual a mulher dele obrigara toda a família a se sujeitar. Continuei parada ao seu lado, apoiada em sua mesa. Ele esperou que eu me manifestasse, até tentou voltar a escrever no computador, mas logo parou:

— Precisa de alguma coisa?

— Sabe que o Luiz pediu pra sair?

— O Luiz?

— Sim.

— Imagino qualquer pessoa saindo daqui, menos o Luiz.

— E eu, você me imagina saindo?

Ele ficou me observando. Olhou para o porta-retratos da família antes de responder:

— Não imagino a área sem você.

— Que bom. — Desencostei-me da mesa. — Convenci o Luiz a ficar conosco. Disse a ele exatamente isso: não imagino a área sem você. Acho que a frase tem o efeito de manter a pessoa em sua cadeira, não acha?

Não esperei a resposta para sair andando em direção à minha mesa. Não era nem meio-dia e eu já havia encarado a orelha peluda do Luiz e descoberto que um complô contra mim estava se organizando. E ainda tinha um almoço com cliente e uma conferência interna que duraria a tarde toda. Depois de tudo isso, Lauro achava que eu ainda teria estômago para uma reunião na escola? Ele tem que se colocar no meu lugar!

Travei meu computador encerrando o dia às oito da noite. Nos sonhos de Lauro, a essa hora eu estaria na porta da escola conversando com outras mães sobre os nossos príncipes depois de uma reunião importante com a professora. Fui ao banheiro rindo dos devaneios dele, mas, para minar meu bom humor, descobri que estava menstruada. Merda! Quando isso vai parar? Homem nenhum imagina a tragédia que é sangrar uma vez por mês. Estou nessa desde os treze anos! São trinta e três anos sangrando sem nenhum refresco!

Porque gravidez e pós-parto não dá para chamar de refresco, certo? Podemos chamar de tortura essa fase mágica da mulher. Minha esperança sempre foi uma menopausa precoce, mas que estava demorando a chegar. E foi com esse humor contagiante que saí do banco e estacionei em uma farmácia para comprar absorventes. Absorventes para fluxo intenso, porque não basta sangrar: tem que sangrar muito! Um rio vermelho correndo entre as pernas que a deixa o tempo todo apreensiva, com medo de que tenha vazado na calça de seda no meio de uma reunião com quinze homens que não têm a mínima ideia do que é isso.

Já estava na fila do caixa quando uma senhora calva pediu minha opinião sobre qual antialérgico comprar. Além de calva, tinha saliva seca nos cantos da boca. Eu não estava num bom momento. Tentei ignorá-la, mas ela repetiu a pergunta ainda mais alto.

— Tenho cara de médico? — explodi.

Magoada, ela abaixou a cabeça, me dando o desprazer de encarar sua calvície ainda mais de perto.

— As médicas que se vestem bem assim — sussurrou.

Ainda bem que nesse momento a moça do caixa chamou, senão me veria na obrigação de me sentir culpada pela minha rispidez.

Saindo da farmácia, vi que tinha um Santana estacionado atrás de mim, impedindo minha saída. Entrei no carro e dei algumas buzinadas para que o dono viesse retirar aquela peça de museu. Esperei mais de oito minutos e ninguém apareceu. Entrei na farmácia esbravejando:

— De quem é o Santana estacionado lá fora? — gritei. Tinha um homem na fila de camisa social e boné. — É seu? — perguntei, acusando-o.

Nesse momento, um senhor acenou com a mão, do balcão de medicamentos:

— É meu, filha. Já estou saindo.

Era o meu dia com a terceira idade!

— O senhor não tem educação, não? Como pode fechar o carro de alguém assim? Saia logo de trás de mim! — gritei como uma louca na farmácia e fui para o carro.

Ele veio logo atrás e parou em frente à minha janela, pedindo que eu abaixasse o vidro. Ele sorria, achei que fosse pedir desculpa, mas, assim que a janela se abriu, ele tirou uma arma da cintura:

— Imagino que a vida da senhora seja muito ocupada e por isso tanta pressa. Mas espero que, na próxima vez, a senhora seja mais educada, senão não vai mais estar aqui para cumprir todos os seus compromissos.

Gente, esse cara não precisava de uma arma para matar ninguém. Seu hálito já era o prenúncio da morte. Voltei a respirar assim que ele saiu. Mais um pouco, morreria asfixiada; e ele nem precisaria gastar munição. Tremendo, liguei o carro e parti. Quando estacionei na garagem do prédio, vi que estava toda suja de sangue. Existiam coisas piores do que menstruação, tipo morrer com um tiro de um velho com um hálito daqueles. Passei a mão no sangue e lembrei da Carol, da sua história de coração mole e coração duro. Será que ela estava certa?

CAPÍTULO 3
—

Política. Os homens acham que a política domina o mundo, mas lhe digo: o que move o mundo é o medo. O medo de cair, de perder, de ser rejeitado, de não ser reconhecido. Por isso os homens acham que são os donos do mundo, pois são os que mais têm medo e, por isso, lutam mais, gritam mais, buscam ter mais poder. Mas se uma mulher consegue perceber o quanto são fracos, aí acabou, o super-homem volta a ser o bebê chorão em busca de um peito macio e de um leite morninho.

Miguel estava rodeado de colegas quando entrei no escritório. Ele falava alto, os outros riam. Normalmente, a minha chegada teria dissipado a roda, mas ninguém se mexeu, nem para me dar oi. Cheguei à mesa, coloquei minhas coisas e comecei a responder e-mails.

O pai de Miguel foi uma figura lendária no mercado financeiro. Fundou a Loud, que se tornou a maior corretora independente do país. Miguel nasceu nesse ambiente de ostentação e poder. Imagino-o pequeno brincando em seu cavalo dourado poucos minutos depois de ter mandado a babá limpar seu rabo. Acontece que seu pai deu um passo além da perna ao montar um banco; em poucos anos, ele quebrou. O cavalo dourado tornou-se bege e ele teve que aprender a se limpar sozinho. Conseguiu entrar no banco por influência do pai quando ainda tinha vinte anos. Dizem que no começo se esforçou para mostrar que o brilhantismo estava em seu DNA e que era tão capaz quanto o pai, mas não demorou para comprovar para todos o que ele mesmo já sabia: se havia algo que herdara do pai, era o defeito de dar um passo maior que a perna. Mas ele tinha algo, e esse algo se chama capital político. Desde criança, esquiou com as pessoas certas, jantou com as mulheres certas e puxou o saco das pessoas certas. Dessa forma, conseguiu se manter no banco, e é o cara que sentaria em minha cadeira se eu desse o fora. Ou se eles me dessem o fora, coisa que ele sempre tentou articular.

Desde aquele jantar, o clima estava estranho. Talvez agora ele tivesse o apoio dos outros da equipe, e por isso aquela petulância em manter a rodinha de gazelas na minha entrada no escritório. Se o medo dele era sempre ficar recebendo ordem de uma mulher até se aposentar, meu esforço seria em validar seu medo de forma contundente. Mandei um e-mail para o Eduardo dizendo que queria almoçar com ele.

Tinha combinado com Lauro que almoçaria em casa. Lauro tem um jeito muito especial de tentar fazer eu me sentir mal pela mãe que sou, me acusando diariamente de não ver meus filhos. Claro, estou fora para poder sustentá-los! Isso também é medo, medo que o Lauro tem de ficar com a responsabilidade integral da educação dos meninos. Vai que algum deles dá errado, quem vamos culpar? Ah, claro, o culpado não será ele, será a mãe desnaturada que trabalhava mais de doze horas por dia para pagar as contas da casa. E já que vou ser culpada de qualquer forma, posso dizer sem receio que não almoçarei em casa. Uma mensagem de texto

simples: "Não conseguirei almoçar em casa, marcaram uma reunião que não tenho como desmarcar". Mensagem visualizada e o telefone toca. Claro!
— Oi, Lauro.
— Como assim não vai almoçar em casa? Já avisei os meninos, eles estão te esperando.
— O que quer que eu faça?
— Que venha! Que não decepcione seus filhos!
— Mas, Lauro, não posso desmarcar, te avisei na mensagem.
— Então você que fale isso pra eles. Espere aí.

A campanha de Lauro para que eu me sentisse uma mãe desnaturada me impressionava. Se antes ele caçava aventuras, agora ele caça culpados. Culpados por sua infelicidade.
— Mãe?
— Oi, Antônio, tudo bem?
— Sim.
— Como foi o judô?
— Bem.
— Não vou conseguir almoçar em casa porque terei que ir a uma reunião, tá?
— Tá.
— Mas jantamos juntos!
— Tá.
— Tchau, Antônio. Me deixa falar com o João.
— Tchau, mãe.

Fico cinco minutos na linha aguardando o Lauro achar o João pela casa, tão interessado ele estava em falar comigo.
— Oi, João.
— Oi, mãe.
— O que está fazendo?

— Jogando *videogame*.
— Legal. Não vou mais almoçar em casa, mas jantaremos juntos, tá?
— Tá. Só isso?
— Só.
— Então tchau!

O drama que o Lauro faz é do mesmo tamanho da indiferença de meus filhos.

— Lauro?

Achei que ele ainda fosse falar comigo, mas desligou o telefone. Desligar na cara era seu ato de desespero, sua última tentativa de me fazer sentir culpada.

Ao meio-dia, passei por Eduardo sem falar nada e peguei um táxi para o restaurante que ficava bem longe do Itaim. Ainda pensei em chamá-lo para irmos juntos, mas não queria dar pista aos demais que o dedo-duro e eu iríamos almoçar.

Eduardo chegou quinze minutos depois, olhando para os lados.

— Fique tranquilo, dificilmente encontraremos alguém do banco aqui. Nem preciso dizer que esse seu medo é uma confissão, né?
— Confissão?
— O que o Miguel está tramando?

Eduardo se remexeu na cadeira.

— Vamos pelo menos fazer o pedido primeiro?

Os gordinhos se preparam com o estômago para as adversidades.

— Sem dúvida! Pressa pra quê?
— Indica algo do cardápio?
— Nunca comi aqui.
— Vou pedir o ragu com polenta.

— Eu quero o peixe.

Fizemos os pedidos e ficamos conversando sobre as eleições do governo norte-americano. Comemos, pedimos sobremesa e café. Só depois disso falei:

— Agora conta tudo.

— Clarissa, acho que o Miguel conseguiu capital político pra te tirar do banco.

— Ele sempre teve capital político, o que não tinha era o apoio de vocês.

Eduardo ficou em silêncio, passando a faca na toalha da mesa.

— Para com isso que me dá aflição! Bom, então agora são os quatro contra mim? E vocês acham que a vida vai ser molezinha quando o Miguel estiver na minha cadeira?

— Você exagerou muito nos últimos tempos.

— Se vocês não aguentam porrada, não sei o que estão fazendo no mercado financeiro.

Fiquei exaltada! Está bem, eu não fazia o papel de garota boazinha. Em vez de desenhar corações coloridos na reunião da escola, eu desenhava notas de dólares. Mas vai dizer que eu sou a única que gosta de dinheiro? Eduardo, Miguel, Luiz e Philippe gostam do quê? Filantropia? Eu, eles, os sócios do banco, os faxineiros do banco, todos gostam de dinheiro. E selva é selva, quem ganha mais é quem tem mais força ou inteligência. Eu sempre combati para estar onde estava, nunca me fiz de fraca, sempre arreguei as mangas. Agora vêm quatro marmanjos sentimentais dizer que estou exagerando? E quer saber? Estou mesmo! E daí? Não são homens para ficar se gabando de barcos e putaria? Sejam homens para aguentar porrada!

Eduardo chacoalhava a perna, um cacoete que eu odiava. Gordo e ansioso! Mas era melhor não jogar isso na cara dele. Do jeito que as coisas estavam, ele usaria isso contra mim.

— Eduardo, quando entrei no banco, era moda dizer: "Quer moleza? Senta no pudim!". — Ele olhou para seu prato vazio, certamente pensando na sobremesa. — Mas todo mundo que vi sentando saiu com a bunda suja. Isso vai ser bem mais difícil do que imaginam.

* * *

Os meninos estavam fazendo a lição na hora em que cheguei em casa.

— O que é isso? — perguntaram logo que viram a sacola em minha mão.

— Um presentinho pra vocês.

Eles abriram as caixas de chocolate num ímpeto.

— É pra depois do jantar!

Nem me ouviram. Comeram ao menos cinco bombons de uma vez. João ainda sujou a lição de casa. Lauro entrou bem nesse momento.

— Vocês estão comendo chocolate?

— Mamãe que deu pra gente.

— Você deu chocolate pra eles antes do jantar?

— Não, eu não dei nada. Eles que arrancaram da minha mão e não me ouviram quando disse que era pra depois do jantar.

Lauro saiu do escritório batendo a porta.

— Viu o que fizeram? Agora seu pai vai ficar bravo comigo.

Eles não me ouviram novamente. Fui para o quarto me trocar. Lauro entrou logo depois de mim.

— Quero conversar com você.

— Não foi culpa minha. Só quis agradar os meninos... era pra eles comerem só depois do jantar, mas eles não me respeitaram. Você tem...

— Clarissa — ele me interrompeu —, quero me separar de você.

Oh! Por essa eu não esperava.

— Me apaixonei por outra pessoa.

Ui! Agora ele começava a exagerar...

— Quero fazer tudo da melhor forma possível para os meninos, ainda mais considerando sua falta de habilidade em educá-los.

Comecei a trocar de roupa. Ele ficou sentado na cama com cara de réu. Como assim, Lauro se apaixonou por outra pessoa? Homem-feito, com dois filhos para criar, uma casa para administrar, como pode se apaixonar por alguém? Até onde sei, paixão é para jovens, adolescentes ou série da Netflix. Adulto da vida real tem que fazer boas parcerias e, sinceramente, não conhecia parceria melhor que a nossa. Não falei que ele tinha que voltar a escalar montanha, correr risco de vida? Deu nisso!

— Você não vai falar nada?

— Vou, claro que vou. Me deixa pelo menos tirar a roupa do trabalho.

Ele continuava sem se mover enquanto eu terminava de me vestir. Sentei-me ao seu lado.

— Como é isso, de você ter se apaixonado por alguém?

— Olha, Clarissa, está sendo tão difícil pra mim quanto pra você. Se pudesse escolher, não teria me apaixonado por essa pessoa.

— Quem é "essa pessoa"?

— Você não conhece.

Disse isso e se calou.
— Não vai dizer mais nada?
— O que quer que eu diga?
— Quem ela é, onde a conheceu, como é isso de se apaixonar por alguém...
— Ela é da academia. Tentamos evitar, não queria fazer isso com os meninos, nem com você. Ela também era casada e está sofrendo bastante...
Ele voltou a se calar. Acho que estava chorando, mas seu rosto estava baixo, então não pude ter certeza. Fiquei com raiva daquela história toda. O Lauro apaixonado, o superpai culpado por largar a família por um grande amor, o meu marido sentado na cama chorando a dor de uma separação. Mas que merda tudo isso! Se alguém tinha que se apaixonar por outra pessoa, era eu! Eu! Não o Lauro. Ele já era sentimental demais! E se alguém ali estava precisando de um coração mais mole, esse alguém era eu!
— Lauro, vim mais cedo pra casa pra jantar com você e os meninos. Mande a Laura servir o jantar. Mais tarde conversamos sobre tudo isso.
Ele foi para a cozinha e eu parei no escritório.
— Acabaram?
— Sim. O papai está bravo com a gente?
— Não, ele já esqueceu essa história. Vamos jantar?
Os dois se levantaram meio acabrunhados. A maior tristeza deles era decepcionar o pai. Não aguento essa irmandade masculina até dentro de casa. Dá para entender o choro do Lauro. Seu medo não é romper comigo, é perder essa parceria que tem com os filhos.
— Coloque uma música — falei para Lauro na hora em que nos sentamos na mesa. Queria um jantar divertido para

afastar a culpa do Lauro por estar comendo a gostosa da academia e a dos meninos por terem comido o chocolate sem o consentimento do líder da maçonaria.

— Como foi a escola hoje? — perguntei enquanto Lauro ligava o aparelho de som.

— Legal — disse Antônio.

— E você, João? Seu dia foi esse legal chato do Antônio ou foi legal legal?

— O quê? — ele nem tinha percebido que eu estava falando com ele.

— Perguntei como foi na escola hoje.

— Foi legal.

Lauro voltou para a mesa.

— Do que estão falando?

— Eles estão me contando o dia empolgante que tiveram na escola.

— Pai — Antônio falou —, sabe que o Pedro foi conversar com a Fernanda Gomez hoje?

— Sério? O que ele fez?

— Jogou o estojo da Juliana na privada.

— O que é isso?! Passa seu prato que vou te servir.

— E você, João, alguém da sua turma jogou o estojo do amigo na privada? — Já que estava ali, também queria participar.

— Sim! O Rafael jogou o estojo da Juliana...

— Mentira! Ele fica imitando tudo que digo!

— Deixa ele — disse Lauro de canto e piscando o olho para Antônio. — Ele te imita porque gosta de você.

— Jogou o estojo da Juliana, João? E ele foi para a diretoria?

— O que é diretoria?

— Nem sabe o que é diretoria...

— É o lugar pra onde vão as crianças que fizeram coisas erradas. Me dá seu prato.
— Não quero cenoura!
— Vai comer cenoura, sim! Senão não vai comer o chocolate que sua mãe trouxe de sobremesa.
— Ele é obrigado a comer cenoura?

Lauro me olhou com aquele olhar de sete laudas me acusando de ser uma mãe ausente o suficiente para não ter direito de intervir na criação que ele dava aos nossos filhos. Mas acho que ele se lembrou que queria nos deixar pela foda da academia e abaixou os olhos.

— Cenoura é importante pra você conseguir derrubar os colegas no judô.

Gostava da minha família. Nem imaginava que pudesse dar tanta sorte. Lauro era chato, mas era um bom pai. Cuidava da casa, das empregadas, das coisas mais irritantes que eu não suportaria cuidar, como um aquecedor de água quebrado ou uma lista de compras. E os meninos eram saudáveis, pareciam entender minhas ausências e nunca me pediam mais do que eu podia dar. Com o Lauro, eles eram superamorosos. Gostava de ver os três interagindo e pensar que contribuía com isso enquanto estava ausente trabalhando, porque, se tinha alguém que bancava aquele pai sempre presente, esse alguém era eu, e não a loja de mate de Lauro. Aliás, como ele faria para sustentar a si próprio e ao fenômeno da academia? Vendendo mate que não seria. E eu, que jeito arranjaria para cuidar da casa, com meu talento em ser odiada pelas empregadas ainda no mês de experiência? Em pouco tempo elas estariam usando minhas roupas, bolsas, joias, quem sabe até dormindo em minha cama, e eu aguentaria tudo calada só para não ter que fazer uma lista de compras.

— Mãe? Mãe?
— Desculpa, estava longe.
— Podemos pegar o chocolate? O papai deixou.
— Claro, João! Você me dá um?

Comemos os bombons ouvindo música e conversando. Tive a nítida sensação de que aquele momento mobilizou Lauro a se perguntar se a coxa grossa era realmente tão gostosa.

Ele foi colocar os meninos para dormir e eu fui para o quarto responder e-mails. Liguei a televisão para ver o jornal, mas dei de cara com um tipo moreno de nariz grande cortando alho e cebola em um canal de entretenimento. Cortava, falava, gesticulava e ia jogando tudo em uma panela. Depois começou a afiar uma faca. A lâmina deslizava pela pedra em um vaivém preciso. Quando ficou pronta, ele levantou da tábua um peixe grande e gordo. Se gabou daquele peixe com a mesma satisfação que o Philippe se gaba de um relógio. Voltou a colocar o peixe na tábua e enfiou a faca no meio dele. Fiquei arrepiada com a precisão com que abriu sua barriga. Ao mesmo tempo que uma mão esquartejava o peixe, a outra o segurava com uma força que parecia protegê-lo. Suas mãos ficaram vermelhas. Eu nem sabia que peixe sangrava. Lauro entrou nesse momento. Demorei para me recompor, fazia tempo que não via um homem assim. Será que paixão era contagiosa? Desliguei a televisão e observei Lauro colocando o pijama.

— Quer que eu durma no quarto de hóspedes?
— Não, Lauro. Pode dormir aqui.

Ele despencou ao meu lado na cama. Parecia um pedido de socorro. Virei-me para ele e comecei a acariciar sua barriga por baixo do pijama. Ele ainda tinha os gomos do tempo em que namorávamos, já meu corpo havia mudado. Minhas pernas haviam se tornado corpulentas, minha cintura agora era quarenta e quatro. Nada de que eu reclamasse, achava meu corpo adequado à vida que levava, mas, claro, nada comparado ao corpo da vadia da academia. Lauro se virou para mim e começou a tirar minha roupa.

— Estou menstruada.

Ele riu como no começo do namoro. Nunca se importou com menstruação, dizia que dava tesão. Fazia tempo que não transávamos. Lauro estava em forma, claro! A xota da academia estava fazendo um bom treino. E eu estava com a imagem daquele moreno abrindo o peixe bem fresca na memória. Parecíamos dois garotos, sem planilha doméstica ou reuniões escolares; dois garotos preocupados apenas com que aquilo não tivesse fim.

Ele saiu de cima de mim e se deitou ao meu lado.

— Viva sua paixão. Não precisamos nos separar por causa disso, não por mim, ao menos.

Sua respiração ainda estava acelerada.

— Você não sente ciúmes de mim?

Ciúmes, não. Inveja, talvez. Deve ser bom essa história de se apaixonar por alguém.

— Sinto, claro. Mas consigo conviver com isso. Só não quero mais ouvir nada a respeito. Pode ser?

— Vou pensar, Clarissa. Nunca imaginei que você fosse reagir dessa forma…

— Vamos dormir agora, não quero mais falar sobre esse assunto.

Me deitei com o braço sobre os olhos, como sempre. Ele ficou me acariciando no lugar em que a testa acaba e começam os cabelos. Ele me dizia, no começo, que nunca tinha visto uma testa tão bonita como a minha. Bem, eu pensava, se eu não tinha nada de bonito, ao menos a testa parecia exemplar. Mas Lauro tinha razão. Não tinha ciúmes dele? Fiquei com aquela pergunta na cabeça e perdi o sono. Coração mole, coração duro. Será que endureci a ponto de me tornar insensível e por isso minha vida estava degringolando? Minha equipe querendo me chutar para fora, Lauro abandonando a família, sem falar que quase levo um tiro de um velho por nada. Talvez insensível seja a palavra fofa para intragável! Sim, claro! Então era isso: Clarissa, a intragável! Tirei o braço dos olhos. Lauro dormia pesado, a cama estava toda suja de sangue. Quem diria que eu teria que me proteger de mim mesma? E olha, sempre me considerei uma pessoa correta. Faço bem meu trabalho, respeito a forma com que Lauro organiza a casa, dou passagem para pedestres, peço por favor nos restaurantes. Por que agora o mundo estava se rebelando contra mim? Só porque não desenho um jardim florido na reunião da escola? Deve haver maneiras mais honestas de ser uma pessoa melhor. E se eu também me apaixonasse? Seria essa a receita para amolecer meu coração? Veja Lauro, ficou menos combativo depois que se apaixonou. Talvez seja um bom projeto, me apaixonar. Ficaria mais calma, mais sentimental, minha equipe perceberia a mudança e deixaria para lá esse projeto insano de me tirar do banco. Lauro veria que estou mais amorosa, carinhosa — sei lá o que ele espera de mim —, e voltaria para nossa casa. E até as pessoas nas ruas, até com elas eu passaria a conviver melhor e não correria o risco de morrer no estacionamento de uma farmácia. Mas me apaixonar por quem? Onde eu poderia achar um homem de verdade? Olhei para o lençol borrado de vermelho e fiquei arrepiada ao lembrar da enorme mão do cozinheiro melada de sangue. Lembrei do jeito que ele passava a língua na boca cada vez que experimentava o que estava cozinhando e me deu um estalo. Claro, era isso! Eles estão na cozinha! Ali se escondem os verdadeiros homens! Eles estão mais preocupados em servir os outros do que com o próprio umbigo. Um homem que sabe limpar um peixe não vai saber trocar um pneu? Como só pude descobrir isso agora? Por isso que a televisão está cheia de homens cozinhando! Se antes eles ficavam dizendo o que pensam sobre qualquer assunto, agora estão todos na cozinha falando sobre berinjelas e assados. Claro, e não fui só eu que percebi isso! Por isso tantos programas de culinária! Todas as mulheres devem estar fartas de ouvir os homens falando besteiras! Elas sabem que um bom homem está na cozinha enfiando a mão na carne, amassando o pão, mexendo a cebola e o alho enquanto alguém fica com um copo de vinho — ou de champanhe, claro — na mão só esperando que ele sirva aquela maravilha toda! E se eu conhecesse um homem desses, se me apaixonasse por um homem desses? Claro! Meu coração se tornaria mole como um pudim! E doce como um pudim! Se bem que, se meu coração virar um pudim, vão querer sentar em cima. Já sei: meu coração se tornará mole e doce como uma maria-mole, e Lauro, a equipe, até o velho da farmácia, todo mundo vai querer se aninhar em minha doçura em vez de querer me ver pelas costas.

CAPÍTULO 4
―

Acordei no dia seguinte decidida a me matricular em um curso de culinária. Minha única barreira era que não entrava na cozinha nem para pegar um copo de água. Detesto abrir geladeira. Não que eu seja fresca, é coisa de hábito. Sempre gostei de números, e essa coisa de abrir a geladeira e ver a intimidade de uma família, mesmo que seja a minha, está muito ligada a matérias de humanas para mim. Tenho certeza de que um sociólogo abre a geladeira de qualquer casa sem nenhum constrangimento. Mas isso era um detalhe. Que dificuldade poderia ter um curso de culinária?

Assim que cheguei ao banco, pedi à secretária que fizesse um levantamento dos cursos que havia na cidade. Escolhi o mais próximo. Seriam dois encontros por semana, terças e quartas à noite. Dava para encaixar perfeitamente na minha agenda, era só Lauro não ficar perturbando com aquela história de jantar em família. Aquilo me deixou tão animada que convoquei uma reunião de última hora com a equipe para as nove da manhã. Essas reuniões inesperadas e antes das dez horas costumam ser muito mais eficientes do que as programadas, ainda mais se forem na parte da manhã, porque pegamos as pessoas ainda chegando, meio que acordando, e totalmente desarmadas. Fui a primeira a chegar à sala de reunião. Em seguida, entraram Miguel, Eduardo, Luiz e Philippe. A máfia italiana, cada um com seu terno bem cortado e suas abotoaduras de ouro. Fechei o computador e os observei se acomodando em suas cadeiras. Não falei nada e, como ninguém mais se manifestou, ficamos alguns minutos em silêncio cortado apenas pelo roçar de garganta típico do Eduardo. Miguel, como eu esperava, foi o primeiro a se manifestar.

— Bem, estamos aqui, Clarissa. Aconteceu alguma coisa?

— Sim, Miguel, aconteceu. Soube que andam insatisfeitos com minha liderança, então achei que uma conversa olho no olho nos faria bem.

Silêncio.

— Podemos começar individualmente. Alguém gostaria de ser o primeiro a falar?

Claro que ninguém se manifestou.

— Philippe? — Sua pretensa indiferença ao mundo era tão bem construída que isso o ajudava a se expressar com sinceridade em momentos adversos. Ele passou a mão nos cabelos grisalhos como se estivesse posando para uma campanha da Armani e começou a falar:

— Clarissa, admiro a precisão com que toca os assuntos da área, sua capacidade de tomar boas decisões. Mas no quesito liderança, para usar a mesma palavra, o seu relacionamento com a equipe poderia ser mais redondo.

— Entendo. O que você chamaria de redondo?

— Mais empático.

— Claro, essa palavra é mais precisa. Eduardo quer falar agora?

— Sou um grande admirador seu. Quando entrei para a equipe, tive certeza de que aprenderia muito com você, como venho aprendendo. Uma questão ou outra poderia ser tratada de melhor forma, mas acho que faz parte do seu perfil.

— Como definira meu perfil?

— Agressivo, no melhor sentido da palavra.

Cocei o queixo. Continuaria escutando o que eles se permitiriam falar.

— Luiz, o que tem para acrescentar?

— Falei tudo na nossa última reunião.

— Então fale aqui, todos têm que ouvir.

— Ao mesmo tempo que você nos dá oportunidade de sermos ótimos profissionais, você nos humilha em qualquer oportunidade que vê.

Silêncio. Fiquei olhando para o Luiz à espera de que voltasse a me chamar de sádica e sei lá mais o quê, mas ele parou por ali. No fundo, gostava de mim.

— Não quer dizer mais nada?

— Não.

— E você, Miguel?

— Não tenho o que falar.

Passei a mão na testa, simulando que tentaria ser perseverante em escutá-lo.

— Tenho certeza de que tem coisas que gostaria de dizer.

— Clarissa, não tem nada pra ser acrescentado aqui que você não saiba.

— Como o fato de que está se preparando para sentar em minha cadeira?

Miguel saiu de sua postura "vou te acusar apenas com meu silêncio" e arregalou os olhos.

— Não sei do que está falando.

— Alguém aqui também não sabe do que estou falando?

Todos se calaram. Levantei-me, andei pela sala, olhei um pouco pela janela. O silêncio é a melhor forma de constranger sua equipe. Depois voltei a me sentar. Olhando cada um deles nos olhos, disse que achava que o melhor que poderíamos fazer é fingir que aquele complô não tinha acontecido e que eu me esforçaria para agir com mais empatia, usando a palavra de Philippe.

— Estão todos de acordo?

Eduardo e Luiz foram os primeiros a dizer sim. Philippe afirmou apenas com a cabeça quando o encarei, e Miguel baixou os olhos para sussurrar que estava de acordo. Pensei em propor um jantar de confraternização, mas, como estava me esforçando para ser uma pessoa melhor, achei que não deveria fazer aquela piadinha.

Eu era a primeira a saber que aquele blá-blá-blá não resolveria em nada minha situação, só servia para alertá-los de que eu estava pronta para a guerra. Assim que sentei à minha mesa, mandei um e-mail para o Gustavo, o sócio do banco que mais admirava meu trabalho, perguntando se ele poderia almoçar na semana seguinte. Para minha surpresa, ele respondeu que poderia almoçar naquele mesmo dia. Nos encontramos em um restaurante espanhol perto do escritório. Ele, sempre muito gentil, puxou a cadeira para que eu me sentasse e pediu um vinho que sabe que gosto. Quando conheci Gustavo, achei que me apaixonaria por ele. Não é o tradicional homem bem-sucedido. Não fala o tempo todo sobre o valor das coisas ou o poder das pessoas, dá bom-dia ao pessoal da limpeza, trata bem a secretária e acredita que mulheres podem competir de igual para igual com os homens; por isso havia me contratado vinte e quatro anos antes, deixando os concorrentes homens a ver navios. Nunca soube muito de sua vida pessoal, apenas que era casado e tinha um filho. Nos primeiros meses no banco, tive certeza de que me apaixonaria por ele, mas sua educação é do tamanho de sua monotonia. Parece que nunca se deixa envolver por um sentimento, está sempre acima das coisas. Um homem correto e linear. E foi melhor assim, pois deixou de ser um amor platônico para se tornar um grande parceiro na luta pela sobrevivência entre aquele bando de leões.

— Você já soube que estão querendo minha cabeça? — perguntei assim que o garçom trouxe a entrada e depois de termos falado amenidades.

— Estava de férias, voltei há dois dias.

— Bem, se não sabe de nada, talvez a coisa não esteja com tanto corpo assim...

— O que você sabe?

— Pouco, capital político aliado à insatisfação da equipe.

— Acha que isso tem alguma procedência?

— Sim. Mas estou tentando ser uma pessoa melhor, uma chefe melhor, sendo mais precisa.

— Vou procurar saber, Clarissa.

— Tive uma reunião com a equipe agora. Pedi que falassem comigo, me desculpei pelas minhas limitações e disse que tentaria ser melhor. Mas sei que, se abaixar muito a cabeça, eles me engolem.

— Vá levando. Não baixe a guarda. O Miguel deve estar maquinando com alguém maior. Os números da área continuam ótimos. Isso já te protege de muita coisa.

O almoço com Gustavo me deixou tranquila. Passei a tarde trabalhando a todo vapor e acabei me esquecendo do curso.

— A senhora não vai ao curso? — perguntou a secretária quando estava indo embora.

— Me esqueci!

Travei o computador e desci correndo para a garagem, amaldiçoando minha equipe, Lauro e todas as pessoas que não viam que eu era uma pessoa legal e estavam me obrigando a sair do banco direto para um curso de culinária! O trânsito infernal do Itaim fez com que eu chegasse mais de meia hora atrasada. Estava com fome, e se tem uma coisa que acaba com meu humor é passar fome, mas faria um grande esforço para ser simpática, afinal de contas, estava ali atrás de valores humanos, como diria a professora de Antônio. Sorrindo, cutuquei dois alunos pedindo espaço entre eles na bancada ao redor da qual todos estavam. A professora me viu e me cumprimentou.

— Esqueci de avisar que estamos com uma aluna nova. Qual é mesmo seu nome?

— Clarissa.

— Bem-vinda. No final da aula a gente conversa, tá?

Concordei ainda sorrindo e fiquei observando meus companheiros de curso. Eram onze alunos, três mulheres e oito homens. A maioria dos homens tinha barba e tatuagens, imitações perfeitas do Alex Atala. As moças usavam lenços coloridos na cabeça, réplicas dessas cozinheiras da televisão. A professora batia os ovos e falava sobre pão. Todos anotavam em seus cadernos. Fiquei observando meus companheiros de curso. Realmente, a descrição mais precisa que se poderia fazer é que eram clones do Alex Atala. Homens fortes, tatuados e de nariz pequeno. Aquilo me deu uma brochada. Onde estava meu moreno narigudo? Um tipo assim, italiano?

— Clarissa, quebre mais cinco ovos enquanto preparo o *levain*.

Eu, quebrar os ovos? Mas ainda não tive essa aula, professora! Ainda titubeei em me aproximar, mas todos abriram um espaço ao lado da professora. Andei devagar, suando. Era só raciocinar. Havia uma caixa de ovos e uma tigela. Eu tinha mão, duas na verdade, mas acho que só usaria uma. Era só bater os ovos e eles se abririam com facilidade, pelo menos nunca ouvi falar em abridor de ovos. Peguei o primeiro ovo; cabia perfeitamente em minha mão. Aproximei-o da tigela e pum! Metade do ovo caiu para fora e a outra parte melecou minha mão. Aquela textura era aflitiva e estava se entranhando entre meus anéis. Teria que ser rápida para terminar logo com aquilo. Um, dois, três, quatro e lá se foram os cinco ovos. Na tigela havia mais casca que ovo. Minha mão, a mesa e o tênis do Alex Atala ao meu lado estavam amarelos. Corri para a pia para me lavar. A professora veio ao meu socorro.

— Está tudo bem?
— Desculpe, professora. Estou com uma tendinite terrível. Mal consigo mexer minha mão. Eu devia ter falado, não achei que fosse acontecer isso...
— Devia ter falado, coitada...

Devia mesmo... ter pensando nisso antes. Meus anéis, coitados deles, ficariam com aquele cheiro horrível de ovo. Na sala ficou um zum-zum. Mal cheguei e já era motivo de piada, claro. Também, em um curso de culinária, eu queria o quê? A professora salvou a parte dos ovos que caiu na tigela e abriu mais três para terminar o pão. Coloquei-me do outro lado da mesa, longe da cena do crime. A professora discorria sobre a diferença da fermentação natural para a química e eu pensava na roubada em que havia me metido quando outro Alex Atala perguntou se estava tudo bem com minha mão.

— Também já tive uma tendinite brava. Só sarei com acupuntura...
— Eu já tentei de tudo...

— Você não está conseguindo anotar as coisas, né? Se quiser, depois eu tiro uma cópia das minhas anotações.

— Muito gentil de sua parte.

— Já passei por isso. Pode deixar que trago semana que vem.

Ele piscou e sorriu ao final da frase. Fiquei admirada. Primeiro, porque não sabia que ainda se piscava por aí, achei que fosse algo que só existisse como registro histórico em séries que retratam a década de 1950. Segundo, porque ele tinha os dentes mais brancos, mais alinhados e mais perfeitos que eu já havia visto na vida. Terceiro, porque era um garoto! Não devia nem ter trinta anos! Tão novo e tão solícito.

Bem, ele não era exatamente narigudo, estava mais para irlandês do que para italiano, mas quem sabe?

CAPÍTULO 5

Lauro viajou com os meninos no fim de semana e eu fiquei em casa vendo Netflix. Não sei se tem coisa de que gosto mais do que um fim de semana numa maratona de séries e ninguém para encher o saco. Vi muita série romântica. Não que gostasse; amava as policiais e as de terror, mas precisava me inspirar, amolecer meu coração para que meu Alex Atala dos dentes perfeitos fizesse morada nele e me transformasse numa pessoa melhor, com valores humanos para professora nenhuma botar defeito. Em consequência, logo seria uma chefe melhor e minha equipe abaixaria as armas e me deixaria reinar tranquilamente na cadeira que demorei tantos anos para conquistar. Porque não sentei ali de uma hora para outra, e nada veio de graça. Eles sabem que sempre me dediquei o dobro para estar onde estou: uma mulher dando ordem para um monte de marmanjos.

Lauro chegou um pouco mais cedo que o previsto no domingo. Depois de um sábado inteiro vendo séries românticas, eu estava vendo uma de terror com o prazer de um filho que volta para o aconchego de casa. Na cabeceira da cama, uma garrafa de champanhe estava no gelo. Por hábito, Lauro entrou no quarto e a primeira coisa que fez foi levantar a garrafa no balde para ver quanto eu tinha bebido. Não chiou porque a garrafa estava na metade, ou porque agora tinha uma amante e não podia mais me encher o saco.

— Como foi o fim de semana? — perguntei sem tirar os olhos da televisão.

— Muito bom. O Antônio desceu sozinho no rapel.

— Legal.

Ele ficou parado em pé me olhando. Sei lá o que estava passando por sua cabeça, a série estava tão boa que não daria *pause* para saber. Ele acabou saindo do quarto e só voltou de noite, dizendo que os meninos já estavam dormindo e que queria conversar. Cacete, era o último capítulo da temporada. Que ideia conversar àquela hora. Ele nem me esperou desligar para despejar uma bomba em mim:

— Vou sair de casa, Clarissa. Pensei bastante e acho que é isso que devo fazer.

Pause. Viro a taça de champanhe.

— Como vai sair de casa? Quem vai cuidar de tudo? Dos meninos?

— Você!

Tive um acesso de riso que consegui conter. Champanhe me deixa impossível. Não basta vir conversar no último episódio da temporada, ainda tem que me pegar bêbada. Respirei fundo e tentei falar com a credibilidade com que falo com meus clientes.

— Lauro, é o seguinte. Sei que tenho sido uma pessoa difícil, não é só você que tem reclamado. Mas comecei um projeto que me ajudará a ser uma pessoa melhor. Acredite! Só peço que tenha um pouco de paciência.

Ele ficou mudo, olhando para a imagem congelada na televisão.

— Só peço um tempo, só isso.

Lauro era um homem bom. Claro que ele sabia que era insanidade me delegar a criação dos meninos e a gerência da casa. Sem dizer mais nada, foi para a sala. Talvez estivesse indo ligar para a buça da academia, avisar que havia desistido de abandonar o lar. Eu apertei o *play*: faltavam dez minutos para o fim da temporada. Agora que eu iria me apaixonar, tudo voltaria para o eixo.

* * *

Cheguei ao escritório inspirada, mas, antes de pedir uma reunião de última hora com a equipe, achei melhor tomar o café da manhã. Sentei-me em frente ao balcão, como sempre.
— Bom dia, Carolina.
— Bom dia! A senhora sumiu! Estou há um tempão com o desenho da Kellen aqui. Depois vou pegar para a senhora. O que vai querer?
— Um misto, suco de laranja e café.
Ela se virou e reparei mais uma vez na enorme bunda da Carolina. Se fosse homem, era o tipo de mulher com a qual passaria a vida sossegado, com aquele *derrière* e sorriso fácil. O que mais poderia querer um homem? Mas, claro, eles querem muitas coisas a mais. Querem comer várias mulheres, querem sentir-se donos de pintos açucarados, querem ser os grandes provedores e subestimar as companheiras, tirar vantagem, dizer que se deram bem quando todo mundo se deu mal. O pai da filha dela era o tipo folgado, pouco preocupado em pagar as contas da família, mas igualmente comprometido em fazer de Carolina seu capacho. Ela saiu fora rapidinho, pois, com um sorriso daqueles, era claro que ela não tinha estofo para ficar do lado de um homem que a fizesse infeliz.

— Aqui o misto e o suco. Olha aqui seu desenho. Vou pegar o café.

Ela me passou uma folha na qual aparecia desenhado um grande coração com meu nome escrito no meio. Ele era todo rosa, as letras de meu nome eram laranjas, e uma profusão de flores coloridas emoldurava o coração. Será aquela a imagem do meu coração amolecido? Senti-me inflamada por todo aquele amor, pronta para mostrar ao mundo que no fundo eu era uma boa pessoa. Poderia até levar o desenho pendurado no peito como um atestado das minhas qualidades empáticas.

— Diga obrigada pra Kellen — falei quando ela voltou.

— Eu que agradeço à senhora por sempre ajudar a gente.

Antes de me levantar, mostrei o desenho para ela.

— Coração mole, não é, Carol?

— Isso! A senhora se lembrou...

Dei uma piscadinha e saí.

Luiz já estava na sala de reunião, onde tínhamos marcado de encontrar um cliente.

— Bom dia, Luiz.

Ele ficou me olhando, surpreso.

— Tudo bem?

— Você está diferente.

— Diferente como?

— Diferente...

— Elucidativa sua resposta — disse enquanto olhava o celular. — Vou responder uns e-mails até o cliente chegar.

O dia seria longo, precisaria revisar os materiais de prospecção que a equipe estava finalizando. Teria quatro *pitchs* nos dias seguintes que seriam determinantes para o próximo semestre. Falaria sobre mercado, política, regulação, câmbio, setores. Era o momento do meu show. Até minha equipe, a mesma que passara a me odiar, quando participava dessas reuniões, ficava admirada com a minha oratória. Porque, se alguma qualidade eu tinha, era falar bem quando dominava o assunto. Já de noite iria encontrar os clones do Alex Atala e as moças de lenços no cabelo para outro show, esse de comédia, intitulado "Como se espatifa um ovo".

Cheguei ao curso quase às nove da noite, mais atrasada ainda que na primeira vez. A professora estava com um porco aberto na mesa, literalmente aberto. Dava para ver suas costelas, sua carne e a banha. A cabeça estava solta, um pouco à frente do corpo. Os olhos abertos. Ele parecia sorrir. A sala tinha um cheiro de terra molhada misturado com estrume. Era aquilo que a gente comia? Não consegui me aproximar, e olha que gosto de série de terror. O Alex Atala dos dentes perfeitos viu minha dificuldade e, balançando um maço de folhas, me chamou para ficar ao seu lado. Respirei fundo e fui para perto do porco.

— Incomoda ver de perto, né? Estamos acostumados a comprar tudo embalado no supermercado...

Acostumados quem? Eu mal sei o que é um supermercado!

— Achei que fosse um curso de culinária, não de autópsia.

Ele riu. Ai, aqueles dentes. Supus que fosse mais jovem do que imaginava.

— Se não entender alguma coisa das anotações, me pergunte — disse, passando o maço de folhas para mim.

— Eu já tenho uma dúvida: como pulamos de fermentação natural para o esquartejamento de um porco?

Os dentes, de novo.

— Você não leu o programa do curso? Começamos agora a estudar defumados e charcutaria...

— Entrei no curso meio de supetão.
— Tem no site, mas posso te mandar depois, se quiser.
— Na próxima aula destroçaremos uma vaca?

A professora pediu silêncio, claro, não deve ser fácil destrinchar um porco. O Alex Atala virou-se para ela, mas antes me deu uma piscada de olho. Ai, a juventude... e eu nem sabia que ainda se piscava...

No final da aula, a professora veio conversar comigo. Não tínhamos nos falado na última aula, pois eu fugi assim que apareceu uma brecha.

— Fale um pouco de você, Clarissa. Qual é sua experiência com a cozinha e o que espera do curso.

O mais perto que já cheguei de uma cozinha foi analisando o projeto da reforma do meu apartamento. O arquiteto inventou de fazê-la integrada com a sala e foi vetado, é óbvio. Minha expectativa com o curso é me apaixonar por um descendente de italiano narigudo que cozinhe maravilhosamente bem e que seja macho o suficiente para destroçar um porco tão bem quanto você.

— Clarissa?
— Desculpe, professora, lembrei de um e-mail de trabalho que tenho que enviar. Tenho pouca experiência com a cozinha, sou... digamos, uma amadora. E minha expectativa é absorver um pouco do seu conhecimento.
— E o que está achando do curso?
— Ótimo, professora. O porco deu uma assustada, mas, fora isso, tudo bem.
— Para quem não está acostumado, é difícil mesmo. Mas com o tempo você aprende a abrir um animal, limpar as tripas, cortar as partes e desossar... É costume!

Gente, deviam prender essa mulher. Não seja besta de criar inimizade com ela, Clarissa! Ela não é como os bundas-moles da sua equipe.

— Claro! A primeira vez é sempre mais difícil...

— Bom, estou aqui para ajudar. E tente chegar mais cedo, senão você perde muita coisa importante.

— Desculpe, professora, o trabalho tem me exigido demais.

E eu vou lá dizer que ela não é minha chefe para me encher o saco com a hora que estou chegando?

— Sei como é, mas não deixe que ele atrapalhe algo importante pra sua alma.

Sim, não deixarei que o trabalho, que paga as minhas contas, as dos meus filhos e as do meu marido, atrapalhe uma aula na qual se ensina como esquartejar um porco. Alma, não foi isso que ouvi? Será que ela não percebeu que essa história de alma é para as alunas que usam o lenço colorido na cabeça?

Fui andando até o carro pensando se voltaria, afinal, nem narigudo tinha lá, quando uma bicicleta parou ao meu lado.

— Quer uma carona?

— Na garupa?

— Claro, minha perna é forte.

Posso apostar que sim. Imagine, eu na garupa de uma bicicleta? Teria que nascer de novo.

— Estou de carro. Mas obrigada.

— Está tranquila hoje? Vou à apresentação do *stand-up comedy* do meu *roommate*. Quer vir?

Ele deve ter morado fora com um inglês daqueles. Fiquei com vontade daquele *stand-up* só pelo sotaque dele. Adoro quem fala bem inglês.

— Onde é?

— Aqui perto, no Itaim mesmo. Dez minutos de bike.
— Vamos, então.
— Me segue!

"Me segue!" Há quanto tempo não ouvia isso de um homem. Tudo bem que ele estava de bicicleta e que teria que me controlar para não passar por cima dele, mas ninguém é perfeito, certo? E, no final, até que ele era rapidinho com a "bike" dele.

Chegamos a um pequeno bar que tinha um palco redondo em um dos cantos. Todas as mesas estavam ocupadas, então o Atala pediu para nos sentarmos com um casal de cabeludos onde havia cadeiras livres.

— Não achei que fosse estar tão cheio. O que você bebe?
— Champanhe.
— Champanhe?

Ele pareceu sem graça.

— Vou até o bar ver o que consigo. Se não tiver champanhe, você toma uma cerveja?

Cerveja? Não ia rolar…

— Uma água com gás está bom.
— Já venho.

Peguei meu celular na bolsa assim que ele se levantou. Nada me faz mais feliz do que um celular com bateria na mão. Ele é o melhor companheiro que já pôde ser inventado. Steve Jobs nunca vai imaginar o bem que fez para a minha vida. Nunca mais me estressei com o atraso das pessoas, por exemplo. Uma espera nunca é longa quando se tem um celular com bateria em mãos e dez mil e-mails para responder. Fora que ainda posso fazer compras, qualquer tipo de compra! Posso até ver séries no meu celular, qualquer série! Mas o melhor de tudo são os emojis. Nada me ajuda mais a ser fofa com as outras pessoas do que um emoji. Toda vez que mandava uma mensagem dura para a equipe, suavizava com uma carinha piscando. Convites de festas? Nego com um coração ao lado. Nada mais simpático. Atrasada para o jantar em casa? "Tô chegando!" com um rosto tristonho em seguida, no estilo sinto muito, costumava resolver o problema. Se bem que, desde que Lauro inventou aquela história de me abandonar, nem emoji dava mais jeito. Mandei uma mensagem para ele dizendo que chegaria tarde. Estava pensando em que emoji mandar quando o ator subiu ao palco. O casal cabeludo ao meu lado enfim parou de se beijar. O Atala apareceu logo depois e colocou uma garrafa de champanhe pequena na minha frente e uma de cerveja para ele.

— Essa deu trabalho. Começou faz tempo?

— Acabou de começar. Por que demorou tanto?

— Tive que ir até uma delicatéssen na rua de trás para achar um champanhe.

— Obrigada. Como um bar não tem champanhe?

— Muitos bares não têm champanhe. Você não bebe cerveja?

— Não, tenho horror a cerveja.

Ele riu. Imagine se fosse o Lauro ouvindo isso, a bronca que eu ia levar? "Não se fala em um bar desses que tem horror a cerveja! Você tem que ter noção das coisas... Blá-blá-blá..."

O ator começou a falar. O assunto era sua dificuldade de pagar as contas no começo do mês. Tinha até certa graça, mas toda aquela história de vida de artista ser difícil e arte não ser reconhecida me dá um sono... Se ele estava preocupado em pagar contas, por que decidiu ser ator?

— Ele é seu *roommate*?

— Sim.

— E você fica tranquilo quando começa o mês?
— Essa história toda é bobagem, é só pra fazer rir. A técnica do *stand-up* é começar se desvalorizando. Se ele dissesse a verdade, que a família é sócia de um dos maiores escritórios de advocacia de São Paulo, ninguém iria rir.

Ai, os herdeiros, quase todos iguais.

— Qual escritório?
— Barbosa e Almeida Neto. Conhece?

Se conheço? Almocei com o próprio Almeida Neto mês passado. Deve ser o avô dele.

— Já ouvi falar.
— Você trabalha com o quê?
— Trabalho em banco. E você?
— Minha família tem um restaurante. Trabalho lá.
— Restaurante do quê?
— Um restaurante por quilo no centro da cidade.
— Legal. Por isso está fazendo o curso?
— Sim, quero ter um restaurante meu. Não de comida por quilo, claro…
— Um restaurante que tenha champanhe, imagino?
— Claro! E você, por que está no curso? *Hobby* ou pensando em mudar de profissão?

Estou no curso pois inventei que me apaixonaria por um cozinheiro narigudo, mas acho que aceito trocar por um com nariz pequeno e dentes perfeitos.

— Resolvi fazer algo diferente.
— Você não tem experiência com cozinha, né?
— Por que diz isso?
— Dá pra perceber… os ovos, o porco…
— Não tenho muita mesmo.
— Tendinite foi um blefe?

— Sim.

Riu e propôs um brinde. Ai, esses dentes.

— A minha tendinite também. Saúde!

Olhar o show era o melhor que podíamos fazer depois daquela saliência. O ator estava falando sobre as furadas em que vinha se metendo por conta dos aplicativos de relacionamento. O bar estava achando a maior graça, menos os cabeludos, que voltaram a se beijar.

— São dois homens? — perguntei.

— Eles? Não, é um homem e uma mulher.

— Como sabe?

— Olhe as mãos deles.

Ele tinha razão. Um tinha as mãos grandes; as mãos dela eram pequenas.

— Vou pegar uma cerveja. Quer mais um champanhe? Deixei outra garrafa na geladeira pra você.

Tão gentil! Mas eu sabia o que mais um pouco de champanhe poderia fazer comigo, ainda mais que nem tinha jantado.

— Obrigada, mas vou só terminar essa.

— Sem problema.

O ator agora falava de política e acabou contando que ia tentar um concurso público. Foi muito aplaudido quando encerrou. O Atala voltou logo depois.

— Vamos lá falar com ele? — disse, apontando para o amigo que estava ao lado do palco.

— Preciso ir.

— Então te acompanho até o carro.

— Obrigada pelo convite — disse assim que saímos do bar.

— Obrigado você, foi um prazer sua companhia. Confesso que não aguento mais ver esse número.

— Sempre vem?

— Sim, não consigo dormir cedo, então sempre passo quando ele está se apresentando.

— Vocês são muito amigos?

— Sim, ele namorou a minha prima na adolescência. Somos amigos desde então.

Imaginei que a adolescência dele deve ter sido cinco anos atrás. Quantos anos teria? Vinte e três?

— Aqui está meu carro.

— Você vai bem sozinha?

— Claro!

— Anote meu telefone, caso aconteça algum imprevisto.

Que perigo, esse menino. Anotei o seu número e salvei o contato como Alex Atala.

— Alex Atala?

— O *chef*. É uma homenagem...

— Obrigado, mas prefiro que coloque meu nome.

Claro, coloco seu nome, é só me dizer como se chama. Ele me olhou como se tivesse me pegado de surpresa.

— Não sabe meu nome, não é?

— Não...

— Lucas, meu nome é Lucas, Clarissa.

Ele beijou minha bochecha por alguns segundos. Senti-me como uma garota paquerando na saída da escola.

— Lucas, anotado. Nos vemos semana que vem no curso?

— Claro! Quer saber qual o módulo?

— Nada pode ser pior que o porco.

— Tem certeza?

— Sério? Pior? Me diz, então!

Ele riu. Os dentes lindos.

— Você sobreviveu ao porco, fique tranquila. Nada vai ser pior...

CAPÍTULO 6

Saí de casa no dia seguinte antes que Lauro acordasse. Não queria correr o risco de ele recomeçar com aquela ladainha de abandono de lar. Precisava ganhar tempo para mostrar a ele que eu havia mudado. Às dez da manhã, mandei uma mensagem para o Lucas: "Adorei ontem". Ele respondeu no ato: "Oba! Agora tenho seu telefone". Viu como tem gente que não me acha escrota?! Mesmo assim, estava empenhada em fazer de mim uma pessoa ainda melhor — e Lucas seria o cavaleiro dos dentes brancos pelo qual me apaixonaria e que me ensinaria as canções dos Beatles.

A semana passou rápido. Muitas reuniões com *prospects* e comitês internos. A equipe parecia tão apaziguada que poderia até pensar em desistir do meu projeto de me apaixonar. Mas, toda vez que chegava em casa, encontrava Lauro com o olhar tão distante que ficava ansiosa para colocar meus planos em prática antes que ele se fosse de vez.

Sábado de manhã, Lauro saiu para "levar o carro para a revisão" e me largou sozinha com os meninos. Aquilo me deixou puta. Primeiro que ele poderia ter arranjado uma desculpa melhor, afinal, quem leva o carro para a revisão é o motorista. Segundo, ele que inventou de não ter babá de fim de semana. Se ele fosse começar a ver a coxa grossa aos sábados de manhã, que parasse com aquele discurso de "ter tempo com os meninos" e voltasse a contratar uma folguista. Os meninos pareciam dois capetas correndo pela casa e se xingando. Ainda tentei ignorar os pirralhos e terminar de ver um episódio daquela série sensacional de terror — era a última temporada —, mas eles começaram a jogar futebol na sala e quebraram um vidro da cristaleira. Lauro que não me viesse dar bronca por isso! Quem abandonou as crianças foi ele!

Mal-humorada, levantei da cama e fui até a sala.

— João e Antônio!

Os dois estavam tão assustados que desisti de dar bronca.

— Vão se arrumar. Vamos sair!

Quando você não sabe lidar com uma situação, você terceiriza. Larguei os dois naqueles parques de shopping nos quais você paga por intervalos de meia hora. Estava tão mal-humorada que sentei em um bistrô e pedi um champanhe para melhorar o clima. Se não podia ficar na minha cama vendo série, ficaria ali na mesa. Peguei o celular e o fone de ouvido e vi três episódios seguidos. Estava no começo do quarto quando Lauro ligou:

— O que aconteceu, Clarissa? Os meninos estão bem?

Gente! Os meninos! Tinha me esquecido deles!

— Estão ótimos, por quê?

— Vi a cristaleira quebrada, achei que tivessem se machucado. Onde estão?

— No shopping.

— Já almoçaram?

— Não.

— Mas já são duas horas!

Se estava preocupado com o almoço deles, por que foi "levar o carro para a revisão"? Mas não falei nada, Lauro andava muito sensível.

— Vamos almoçar agora.

— Ok, espero vocês em casa, então.

Paguei a conta e corri para o parque. João e Antônio estavam sentados em um canto. Não pareciam felizes.

— Você demorou muito!

— Vocês não vão acreditar no que aconteceu! Fiquei presa no elevador! O bombeiro teve que vir me resgatar...

Champanhe é ainda melhor que emoji. Fiquei tão criativa que passei o almoço contando a eles como foi o resgate. Bombeiros, machados, alarmes... até bomba inventei. Eles me escutaram com a boca aberta. Acho que foi a primeira vez que Antônio e João gostaram de mim. Embalada por aquele clima de renovação — a nova Clarissa estava cada vez mais próxima! —, mandei uma mensagem para o Lucas enquanto esperava a conta. "Encontro no curso terça-feira?" Ei, Clarissa, você não está marcando uma reunião de trabalho! Mas só me toquei da falta de poesia quando a mensagem já tinha sido visualizada. Ele respondeu "Claro" e mandou uma rosa. Que fofo! Emoji é tudo, não disse?! Emoji com champanhe, então, era a mistura perfeita! Mandei de volta uma estrelinha.

E logo veio a terça-feira. Dessa vez, cheguei tão atrasada que achei melhor ficar esperando do lado de fora. Assim que as réplicas de Alex Atala e as moças de lenço colorido começaram a sair, liguei para ele.

— Estou no carro te esperando.

— No estacionamento?

— Sim.

— Daqui a pouco chego aí.

Em menos de cinco minutos ele bateu no vidro do carro. Abri a porta.

— Achei que não viesse.
— Cheguei tão atrasada que achei melhor nem entrar. O que perdi?
— Hoje ela ensinou como fazer buchada de bode. Parte das tripas ela aproveitou pra fazer linguiça.
— Urgh! Será que me inscrevi no curso certo?
— Estou brincando! A aula foi sobre frutos do mar. Você teria gostado...
E mostrou os dentes perfeitos.
— Você usou aparelho?
— Nos dentes? Sim!
— Vê-se.
— E aí, vamos tomar um drinque?
— Vamos, claro. Mas posso escolher o lugar?
Estava com fome e precisando de um bom champanhe. O dia tinha sido pesado. A insegurança jurídica do país estava afastando o interesse dos estrangeiros, e isso ajudava a afundar o meu navio, que já estava em apuros. Não tinha a mínima condição de encarar um barzinho alternativo naquele momento.
— Claro! Vou te seguindo.
— De bicicleta?
— Se me der o endereço, chego antes de você!
Ai, a juventude! Ele me seguiu e, quando chegamos ao restaurante, deixei o carro com o manobrista e ele prendeu a bicicleta em um poste. Acho que era o primeiro cliente que chegava ali de bicicleta. Nos sentamos à mesa, ele parecia desconfortável.
— Está tudo bem?
— Sempre quis vir aqui...
— Que bom!

— Mas, como dizer... não vim ainda porque está além do meu orçamento...

— Fique tranquilo, Lucas. Você é meu convidado.

— Fico um pouco sem jeito...

— Por quê? Por eu ser mulher?

— Porque eu que queria te convidar...

— O que você viu em mim? Uma mulher de meia-idade cheinha? Imagino que na sua academia tenha mulheres bem mais interessantes que eu.

— Gostei do jeito que abre ovos...

— Claro, minha maior qualidade é abrir ovos... Já ouvi dizer que era a testa... Bem, deixa pra lá. Vamos pedir?

Depois que chegou o champanhe e pude tomar a primeira taça, comecei a pensar que, no fim, a vida era muito boa para mim. Lá estava eu sentada num restaurante excelente, acompanhada de um homem que devia ser cerca de vinte anos mais novo que eu, bonito e com os dentes mais perfeitos do mundo. Ele queria me comer e eu poderia dar para ele sem culpa, pois meu marido estava comendo outra pessoa e não poderia se aborrecer com isso. Tinha conquistado tudo que havia sonhado profissionalmente e saberia lidar com a ganância de quem queria me derrubar. E, acima de tudo, naquele momento tinha uma taça de champanhe gelado em minhas mãos.

— Seu marido trabalha com quê?

— Por quê?

— Pelo seu carro, por frequentar um restaurante como este, imagino que ele tenha um bom emprego...

Engraçado, fala-se tanto em mudar o mundo, mas as histórias que montamos em nossa cabeça são sempre as mesmas.

— Meu marido não trabalha, cuida da casa e dos filhos.
— Sério? Quantos filhos você tem?
— Dois. Antônio e João.
— E você, trabalha com quê? Banco, foi isso que disse, né?!
— Sim, trabalho no mercado financeiro.
— Gosta do que faz?
— Muito. E você, tem namorada?
— Não.
— O que faz um homem desses sozinho?
— Procurando a mulher certa.

O garoto não tinha nem trinta anos e estava procurando a mulher certa? Ele devia estar atrás é da xoxota certa. E da errada também, porque vamos combinar que, com vinte e poucos anos, não importa se é certa ou errada... Mas não seria eu que iria explicar isso para ele.

— Você quer café? — perguntei.
— Você me convidou para o jantar, então quero te convidar para um café em casa. Vamos?
— Hoje?
— Agora.
— Não tomo café à noite, senão não durmo.
— Melhor ainda — e piscou de novo. Sua malícia era sempre acompanhada daquela piscadinha.
— E seu amigo?
— Meu *roommate*? Viajou!

Já era tarde, mas quer saber? Lauro não estava em posição de falar nada de mim.

O apartamento dele ficava em Pinheiros, num prédio antigo e sem elevador. Na sala tinha duas bicicletas, duas poltronas, um pôster do Che Guevara na parede e um futom no chão. O champanhe estava dançando na cabeça e me sentei ali.

— Tire os sapatos!

Acho que o que mais gostava nele não eram seus dentes nem sua juventude, eram as pequenas ordens que me dava. Tirei o sapato como uma menina obediente. Ele ficou na cozinha, que era integrada com a sala, fazendo o café enquanto falava um pouco sobre o curso de barista que tinha feito.

— Vou fazer um bem suave pra gente.

Enquanto esperava a água ferver, ele ligou o som.

— Gostei muito da comida. Ele merece os prêmios que tem.

— Sem dúvida. Acha que, pra cozinhar daquele jeito, ele teve que aprender a dissecar um porco?

— Certamente. Todos os bichos. Os que a gente come, claro.

— Nunca seria cozinheira.

— Isso eu sei só de ver você abrindo ovos...

— Nunca vai esquecer?

— Ninguém que viu vai esquecer...

— Pelo menos fui um bom motivo de piada.

— Sem dúvida proporcionou boas risadas aos seus companheiros de turma.

Ele veio com as xícaras e se sentou ao meu lado.

— Este café vai te ajudar a dirigir até em casa.

Bebemos o café em silêncio, ouvindo a música. Essa história de música tem a ver com sexo. Se o cara não está a fim de comer você, ele nunca vai ligar o som quando entra na casa dele. Ao menos era assim quando eu tinha a idade dele, mas poderia ser que as coisas tivessem mudado. Só que não. Ele deixou a xícara de lado e veio com a mão que estava segurando o café, ainda quente, por dentro das minhas pernas. Com a outra pegou a minha xícara e, depois de colocá-la no chão, veio bem próximo da minha boca e deixou que eu visse seus dentes muito de perto. Seu hálito cheirava a juventude. Seu beijo era apressado como o de um menino que ainda não tinha trinta anos. Me retraí um pouco. Com o beijo dele, pude prever o que vinha depois: uma hora de ginástica que me deixaria sem andar no dia seguinte. Eu tinha quarenta e seis anos e alguma coisa já sabia sobre sexo. Já a maioria dos homens morreria achando que sexo é aquilo que veem em filmes pornográficos. Mas não fugiria da cama daquele Apolo. Devia mesmo era agradecer a paisagem.

Depois de uma hora de ginástica, ele quis recomeçar. Pedi trégua. Não dava para chegar ao banco andando de pernas abertas. Ele beijou minhas costas, minhas pernas, e foi ao banheiro. Nem vi a hora que voltou para o quarto; depois de tanto champanhe e exercício físico, desmaiei na cama.

Quando acordei, demorei para entender onde estava. Ele havia deixado um bilhete na cama dizendo que tinha ido ao Ceasa fazer compras para o restaurante e que, quando eu saísse, era só bater a porta. Minhas roupas estavam penduradas em um cabide de forma impecável e perto delas havia uma toalha dobrada. Precisava me apaixonar por esse homem!

Antes de entrar no banho, fui ver meu celular. Tinha uma mensagem de Lauro: "Você está bem?". Como a culpa faz bem aos homens. Se ele não estivesse com o fenômeno da academia, certamente a mensagem seria acusatória em vez daquela legítima preocupação comigo. "Sim, tudo bem. À noite conversamos." Ele que ficasse na curiosidade de onde passei a noite. Poderia até dizer que eu também tinha um fenômeno, um fenômeno gastronômico, mas quer saber? Casamento não é confessionário. Vou dizer que passei a noite em um hotel porque precisava ficar um pouco sozinha. Não iria ser vingativa e atormentá-lo com meu paquera de vinte e poucos anos como ele me atormentou com a xota da academia.

Assim que saí de lá, fui atrás de uma loja aberta para comprar uma roupa e então segui direto para o banco.

* * *

Depois de uma semana de trégua entre mim e a equipe, voltamos para o ringue. O RH do banco me procurou, pois havia recebido quatro avaliações negativas dos *seniors* da equipe. Ou seja, cem por cento do meu time estava insatisfeito com minha liderança. Novidade! A garota do RH usou ares de psicóloga para me propor um acompanhamento de gestão com um *coach*, o que me deixou mais irritada. *Coach*, agora tudo era *coach*! Saudade de quando chefe era chefe e todo mundo abaixava a cabeça sem ter que ouvir essa palavrinha insuportável: *coach*. Disse que não tinha nada contra o *coach*, era só me dizer que horas eu faria isso, já que chegava ao banco às sete e nunca saía antes das oito, e, mesmo assim, mal dava conta de fazer tudo que precisava. Com cara de compreensão e um insuportável sorriso no rosto, ela disse ter certeza de que eu conseguiria encaixar na minha agenda. Pedi uma reunião com os caras assim que voltei para a mesa e fui para a sala aguardá-los. Chegaram juntos, rindo de algum assunto. Queria voar no pescoço deles.

— Obrigada pela avaliação. Foi boa o suficiente para alterarmos algumas metas. Miguel e Eduardo agora ficam responsáveis por toda a equipe júnior. Se tiverem dificuldade, a moça do RH tem um *coach* para indicar. Luiz e Philippe, nossos poliglotas, vão precisar trazer dois mandatos da América Latina. *Arriba, chicos!*

Todos começaram a reclamar ao mesmo tempo.

— Clarissa, já estamos sobrecarregados — disse Philippe.

— Pois é, foi o que eu falei para a simpática garota do RH. Faltou ela dar uma piscadinha quando disse que tinha certeza de que eu encaixaria o *coach* na minha agenda. Então se virem! — finalizei gritando e saí da sala.

Olha, essa paixão teria que ser arrasadora para eu conseguir ser paciente com aqueles merdas.

Cheguei em casa e Lauro estava jantando com os meninos. Me sentei à mesa sem trocar de roupa, queria comer algo rápido e dormir. Os meninos estavam conversando sobre o passeio que fariam com a escola ao zoológico. Competiam sobre qual era o animal mais poderoso. Um falava rinoceronte, o outro dizia urso-polar. Achei curioso que não mencionassem os leões. Lauro estava distante, alheio à discussão. Dava para ver que também estava cansado.

— O leão é o mais poderoso — sentenciei o que parecia óbvio. Afinal, convivia diariamente com eles.

— Que nada, mãe! Não é mesmo!

— Como não, nunca ouviram que ele é o rei da floresta?

— O leão tem que agir em bando, mãe. Sozinho ele é fraco — disse Antônio.

Me calei diante da sabedoria dos meus fedelhos. Claro! As gazelas do banco só agem como leões porque atuam em grupo. Queria ver se fosse um único a me enfrentar.

— Meninos, vão escovar os dentes pra ir para o quarto. Daqui a pouco passo lá. — Lauro enfim tirou a xota da academia da cabeça e falou alguma coisa.

— Eles estão espertos, os garotos! — comentei.

Lauro concordou com a cabeça.

— Você não precisa passar a noite fora. Quando for assim, me diz, que eu durmo em um hotel.

Ele queria o *habeas corpus* para passar a noite entrelaçado nas coxas grossas, sem culpa nem necessidade de dar satisfação. Esse prazer eu não daria assim, de mão beijada. Ele poderia até passar a noite fora, mas teria que ser macho e assumir que estava deixando de dormir em casa, deixando de ver se os filhos estavam escovando os dentes e lendo um livro antes de dormir em vez de ficar jogando *videogame*, para foder a delícia da academia.

— Não se preocupe com isso. — Levantei-me sem terminar o prato. — Fala pra Laura que o peixe estava salgado.

CAPÍTULO 7

Ele me fez sentar em uma cadeira e disse para eu abrir os olhos. Na minha frente tinha uma mesa arrumada com talheres de prata, flores e uma garrafa de champanhe no gelo.

— Que lugar é esse? — Eu olhava ao redor. Sem dúvida, estávamos em um restaurante, mas só havia nós dois lá dentro. — Que mesa linda essa! Você que fez?

— Calma, quantas perguntas. Me deixe primeiro servir as damas.

Ele abriu o champanhe e nos serviu. Próximo de nós, havia uma bandeja com pães, terrines e picles.

— Tudo *homemade*.

— Está lindo! Me conta que lugar é esse...

— É onde eu trabalho.

— O restaurante da sua família?

— Sim, este é o Pepo.

— E por que está fechado?

— Pedi para não abrir hoje, pois teríamos uma cliente muito especial. — A piscada de sempre seguida dos dentes perfeitos. — Você não se lembra muito das coisas que te falo... Nós só abrimos no almoço.

— Claro! Você me disse. — Não me lembrava mesmo! — Isso aqui está uma delícia!

E realmente estava tudo delicioso.

— Como estão indo as aulas?
— Cada vez melhor. Você abandonou mesmo o curso?
— Até hoje sonho com o porco.
Ele riu muito. Acho que é o único homem que ri de mim.
— Conte o que você viu em mim.
— Como assim?
— Esta mesa, este champanhe, um homem desses me paquerando... ganhei na loteria sem ter jogado?
— Posso ser considerado um prêmio?
— Para uma pessoa como eu, certamente.
— Por quê?
— Poderia até dizer que é porque sou mais velha, sou gordinha etc., mas, na verdade, é porque sou uma mulher difícil. Os homens costumam ter medo de mim, e não me dedicar um jantar como este.
— Medo de você? Não imagino você dando medo em alguém.
— Espero nunca fazer você descobrir.
— Do jeito que fala, até eu espero. Experimente o picles dentro do pão. Aqui, coma este.
Me passou uma fatia com uma piscada de olho.
— Muito bom! Agora me conte, o que viu em mim?
— Já te disse, gostei do jeito que quebra ovos.
— Isso?
— Não tenho muito mais o que dizer além disso. E você, o que viu em mim?
— Fora o fato de ser um homem lindo, muitos anos mais novo que eu, romântico e ótimo cozinheiro?
— Sim, fora isso.
— Posso dizer que gosto do jeito que anota a matéria do curso.

— Você nem leu o material que te dei.
— Não li mesmo.
— Queria muito saber o que foi fazer naquele curso.
— Quer saber mesmo?
— Claro. Vou encher sua taça.

Fui atrás de um italiano narigudo pelo qual eu me apaixonaria, essa paixão tornaria meu coração mais mole e eu me transformaria em uma pessoa mais cordata com os babacas do meu trabalho.

— Estou tentando ser uma pessoa melhor.
— Como, melhor?
— Diria que preciso aprender a controlar meu gênio.

Ele passou a mão pelo meu cabelo, colocando uma mecha atrás da minha orelha.

— E no que o curso poderia te ajudar?
— Essa é mais complicada de responder... Diria que pessoas que cozinham são mais interessantes?
— E o que isso tem a ver com seu gênio difícil?
— Tudo.
— Não deu pra entender.
— Claro que não, mas o que importa? — eu disse rindo. O champanhe começava a fazer efeito. — Vamos falar de você agora?
— Então venha até a cozinha que vou finalizar o prato.
— Onde é o banheiro?
— Ali à esquerda. Te espero na cozinha.

Voltei do banheiro e fiquei espiando-o cozinhar. Claro que eu tinha ganhado na loteria. Ele estava com o cabelo preso em um rabo alto; me parece que aquilo andava na moda na Vila Madalena. A barba era um pouco mais clara que o cabelo. Tinha o nariz perfeito; fora os dentes, claro.

Ele estava em frente ao fogão mexendo uma panela pequena. Cantava alguns trechos da música que ouvíamos. Música de gente jovem. Fiquei me perguntando por onde entraria no mundo dele. Desconhecia suas gírias, aquele modo de prender o cabelo, não gostava de cerveja e tampouco de andar de bicicleta. Fora a foto do Che Guevara pendurada na sala de sua casa. Ele se virou para servir os pratos e me viu.

— Achei que tivesse se perdido.
— Estava te olhando cozinhar.
— Que bom!
— Por quê?
— Pessoas que cozinham são mais interessantes, não é isso?

O filho da puta era jovem, mas esperto.

— O que estava fazendo?
— Vou apresentar o prato quando nos sentarmos. Vamos?
— Quer ajuda?
— Não, hoje você é minha convidada.

Ainda bem!

O calor do fogão deixou seus lábios e bochechas vermelhos, toda aquela cor tornava seus olhos mais verdes e brilhantes. Sua testa estava suada e, assim que se sentou à mesa, passou a palma da mão por ela. Seus movimentos, depois de ter ficado tão perto do fogo, eram puro sexo.

— Lagostim em crosta de beterraba sobre purê de aspargo.
— Bravo!
— Mais champanhe, senhorita?

Esse homem não podia encher minha taça assim. Provei o prato.

— Parabéns, *chef*! Está maravilhoso!
— Estava suando aqui... Gostou mesmo?
— Muito! Excelente!

— Vindo de uma pessoa que come no Lougreden duas vezes por semana, é um grande elogio.
— Agora sou eu que quero saber: o que está fazendo naquele curso?
— Como assim?
— Você já é um *chef* pronto. Não tem nada que aquela mulher possa te ensinar.
Ele se aproximou de mim e me beijou.
— Você fica linda quando bebe champanhe.
Sei, sim. Comente isso com o pessoal da minha equipe.
Depois ele trouxe um sorvete feito por uma amiga, que certamente devia usar um lenço colorido na cabeça, mas me contive de perguntar.
Levantei-me para ir ao banheiro e, quando saí da cabine, ele estava do lado de fora. Ai, a juventude. Ele me colocou em cima da pia, tirou minha calcinha e mostrou a força dos seus vinte e poucos anos. Depois de certa idade, tanta ginástica incomoda um pouco. Não, não vou reclamar de sua virilidade! A vida me joga um peixe desses na rede bem no momento em que meu marido quer me deixar pela bunduda da academia e eu vou reclamar? É até pecado! Mas que aquele mete-mete sem fim cansa, cansa! A lombar dele não dói? Devia existir aula de iniciação sexual na escola, assim os homens aprenderiam cedo que sexo bom não tem nada a ver com aquelas piruetas aprendidas em filmes pornográficos. Se Lucas quisesse, eu poderia ensinar a ele meia dúzia de coisas com as quais faria muita mulher feliz.
Abri a porta de casa sorrindo ao me lembrar dele dizendo que eu ficava linda quando bebia champanhe. Tinha que admitir que era o maior elogio que poderia receber. Estava com seu cheiro no cabelo, na pele, uma mistura de suor e comida.

Andei até o quarto com uma alegria danada. Sim, acho que estava me apaixonando! Pensei em acordar Lauro. Precisava contar para ele que eu também havia me apaixonado, que ele também era jovem e gostoso, que sabia cozinhar, que usava o cabelo preso em um rabo alto e que tinha barba. O rei do mate nunca mais me chamaria de antiquada! Mas de competitivo já bastava meu trabalho. Não ia agora competir com meu marido sobre quem tinha o amante mais bacana, não é?! Entrei devagar no quarto e fui direto para o banheiro tomar banho. Quando deitei — feliz da vida porque Lauro não tinha acordado —, percebi, surpresa, que a cama estava vazia. Mas olha, com a noite que eu havia acabado de ter, ia me preocupar com isso? Depois de tanta endorfina da meia maratona? Que nada! Disse a mim mesma que ele devia estar dormindo no escritório; virei para o lado e dormi.

Na manhã seguinte soube pela Laura que Lauro (nunca me conformei com o fato de os dois terem o mesmo nome) havia viajado e que ela ficara responsável pelos meninos. Ela falou sobre a viagem como se eu estivesse a par de tudo. Só podia concordar.

— A senhora vai querer que o Roberto pegue os meninos na escola hoje? Eles sairão mais tarde por causa da excursão.

— Laura, pergunte esse tipo de coisa para o Lauro.

— Mas ele não disse que celular não pega lá?

— Verdade, Laura. Mande o Roberto pegar, então.

— O João quer convidar um amigo para dormir aqui. Só fala nisso desde ontem. A senhora pode ligar para a mãe dele?

— Imagina, Laura! Estou atrasada já, saindo para o trabalho. Ligue você. Diga que sou eu, não tem problema se passar por mim.

— A senhora tem certeza?

— Tem que ser simpática, hein?! Se não for simpática, ela vai desconfiar que não sou eu...

Tentei manter o humor, mas na verdade estava em pânico. Viajou? Tudo bem, ele merece um descanso. Mas foi para um lugar que nem sinal de telefone tem? Para onde foram os atletas? Acampar na Praia do Sono? Era a cara dele ficar lá desdenhando do condomínio de Laranjeiras. Cansou de jogar tênis e tomar aperitivo à beira da piscina. Nada mais de barco, helicóptero e mordomo. Agora quer andar na trilha, acampar numa praia deserta, comer comida enlatada e foder a bronzeada da academia.

Torci para que voltasse logo. Rezei para que voltasse logo. O que faria com dois filhos e aqueles empregados que eu mal sabia o nome?

CAPÍTULO 8

A verdade é que não me lembrava da última vez em que havia pegado o celular para ligar para Lauro. Ele nunca deixava tempo para isso. Muito antes de eu pensar "quero saber como estão as coisas" ou "vou avisar que terei que jantar com um cliente", ele já tinha me ligado ao menos cinco vezes para me participar de alguma coisa da casa. O foco sempre foram os meninos. Acho que nunca se conformou de eles terem uma mãe tão ausente. Então, seu esforço sempre foi o de me trazer para perto, mesmo que fosse por meio de cobranças e acusações. Mas, até o final daquele dia, ele não havia me ligado nenhuma vez. Claro, na Praia do Sono nem sinal tinha! Pensei só para constatar se essa história era verdade, só para ver se o telefone ao menos tocava. Podia ligar de algum celular do banco. Se tocasse e ele atendesse, perguntaria em que lugar estava, e diria que poderia, sim, ficar uns dias por lá, que estava merecendo aquele descanso, mas que ao menos atendesse as ligações da Laura. Na verdade, imploraria que falasse com ela. Cheguei até a pedir o telefone da secretária emprestado, mas, quando fui ligar, o telefone da minha mesa tocou. Era do escritório Barbosa e Almeida Neto querendo marcar um café para aquela tarde. Não parecia coisa boa. O Lauro que se danasse, tinha mais coisa com que me preocupar.

Cheguei ao escritório e, minutos antes de entrar na sala de reunião, meu celular tocou.

— Dona Clarissa, ligaram da escola. O Antônio caiu e parece que bateu a barriga. Ele foi para o hospital. A senhora pode ir encontrar ele?

Claro que isso ia acontecer justamente com o rei do mate viajando.

— Laura, estou entrando em uma reunião importante, impossível sair daqui agora. Vá você, peça para o Roberto te levar.

— A senhora tem certeza?

— Faça o que estou mandando, Laura. Não fique perguntando se eu tenho certeza...

— Sim, senhora.

— Me liga de lá. Laura? Você tentou falar com o Lauro?

— Não. A senhora acha que devo mandar uma mensagem para ele?

Seria ótimo. Escreva em letras garrafais: "ANTÔNIO ESTÁ NO HOSPITAL". Quero ver se ele não deixa a barraca armada e vem correndo.

— Pode deixar, Laura, não mande nada, não. Eu tento falar com ele.

A secretária que me acompanhava estava em pé me aguardando para entrarmos na sala. Pela primeira vez me vi falando uma das frases que mais abomino:

— Filhos!

Ela fez uma expressão solidária, aquelas que só as mulheres trocam entre si no mercado de trabalho. Eu era incapaz de uma expressão daquelas, nunca quis fazer parte desse clubinho de mulheres divididas entre a vida de mãe e a vida profissional. Que raiva do Lauro!

— Clarissa!

Almeida Neto estava sentado em sua famosa mesa de pinho de riga. Conheço o Neto desde que eu era *trainee*, pois meu chefe na época, o Mauricio, o atendia e eu que fazia o dia a dia. Ele sempre me tratou muito bem. Gostava dele também, me sentia tão à vontade ao seu lado que quase saí falando que havia assistido à apresentação de seu neto. Não teria problema, claro. Nada de que nos envergonhássemos, afinal de contas, eu podia frequentar um bar *underground* nas horas vagas e ele podia ter um neto ator, já que nunca precisaria ganhar dinheiro. O problema era se a conversa se delongasse e o caminho que nos levaria a Lucas ficasse mais estreito. Eu poderia, como uma mulher casada e trabalhadora, frequentar um bar daqueles, mas transar com o *roommate* do seu neto seria imperdoável.

— Fiquei preocupada com este encontro, já que nossa reunião mensal será semana que vem.

— Não dava para esperar mesmo! Não vou fazer rodeios, Clarissa. Chamei você pois ouvi rumores que me preocuparam como amigo e como parceiro.

— O que ouviu?

— Que vai se desligar do banco.

— Quem falou isso?

— Rumores do mercado.

— O que dizer, Neto? Para ser sincera, ontem mesmo tive uma reunião com eles, as pessoas que estão querendo me derrubar, e parecia que havia ficado tudo bem, que o assunto estava enterrado — tentei dar leveza ao caso.

— Pois não está.

— Bem, eu confesso que ainda não sei como será a continuação disso. Tem muito jogo interno, muita política.

— Já sabe qual é a posição do Mauricio?

— Ainda não falei com ele, ele está se desligando do banco aos poucos. E não sabia que esse assunto já estava desse tamanho...

— Falando como amigo, você vai ter que ser forte e se aliar com quem puder. E, falando como parceiro, se você sair, o Miguel que vai tocar a área?

— Provavelmente.

— Eu não trabalho com ele, não importa qual seja o *deal*.

— Acho ótimo. Miguel é bom de política, péssimo na execução.

— Você tem um plano B?

— Meu plano B era afastá-los dessa ideia. Agora vou pensar em um plano C.

— Se precisar de um aconselhamento jurídico, me fale. No mais, vou ter que rever meu modelo de trabalho com o banco. Vou almoçar com o Mauricio.

— Claro, Neto. Entendo perfeitamente. Mas tenho certeza de que tudo ficará do jeito que está.

Saí da sala com a mesma máscara de confiança que mantive durante a reunião. Não desmontei nem no elevador; vai que queiram analisar as imagens gravadas pela câmera. Mas, quando entrei no carro, comecei a gritar de raiva. Lauro, Miguel, o que eles estavam querendo fazer comigo?

Gritei tanto que não ouvi o telefone tocando. Cheguei ao banco pronta para pular na jugular do Miguel. Estava caminhando em direção à sua mesa quando a secretária veio correndo ao meu encontro.

— A Laura ligou, disse que não conseguiu falar no seu celular. Pediu para a senhora ir encontrá-la no hospital o mais rápido que puder.

Voltei para o carro e gritei mais ainda. Miguel que me esperasse. Estava disposta a perdoá-lo e a mantê-lo na equipe, mas agora estávamos em guerra declarada. Seria ele ou eu. E Lauro também, como tinha coragem de me abandonar assim? Já não havia dado o aval para ele deitar e rolar com a xota da academia? Precisava abalar nossa estrutura familiar por causa disso? Agora também ia esfregar meu fenômeno gastronômico na sua cara e dizer que seu substituto sabia até cozinhar.

Cheguei ao hospital e Laura estava me aguardando na recepção.

— Cadê o Antônio?
— Está na sala de operação.
— Sala de operação por quê?
— Ai, dona Clarissa, não sei nem explicar pra senhora. Quando cheguei encontrei a moça da escola, que disse que ele estava fazendo uns exames. Ela foi embora e fiquei aqui esperando. Depois vieram me dizer que ele teve que operar de emergência. Nem consegui ver ele... Fiquei desesperada, não conseguia falar com a senhora...
— Pare de chorar! Você está aqui para ajudar, não para ser ajudada. Cadê o médico?
— Não sei. Não me falaram mais nada.

Inútil, a tal da Laura. Fui até a recepção.
— Quero falar com alguém que dê notícias do meu filho.
— Qual é o nome do seu filho?
— Antônio Farpa.
— Vou chamar a pediatra.

Em vinte longos minutos, durante os quais entravam dezenas de e-mails que eu não conseguia responder e a Laura tentava disfarçar o choro, chegou uma moça dizendo ser a pediatra responsável.

— Senhora Clarissa? O filho da senhora está bem. A cirurgia ainda está em andamento. Até agora, fomos muito bem.
— Cirurgia por quê? O que aconteceu?
— Ele chegou com muita dor e achamos melhor fazer uma tomografia. Com a queda, o baço se rompeu e tivemos que operá-lo imediatamente. Seu filho correu um risco muito sério.
Risco? Baço? O que é baço? Lauro, cadê você?
— Sente-se aqui. Seu filho está bem, fique tranquila. Ele chegou na hora certa. Vou pegar uma água pra você.
Laura sentou-se ao meu lado e colocou suas mãos sobre as minhas.
— Estão tremendo — ela disse. Claro que estão tremendo, ela queria o quê? Cruzei meus braços e fiquei assim até que, uma hora depois, uma moça disse que podíamos nos acomodar no quarto que fora separado para o Antônio.
— A senhora não acha que devo ir pra casa?
— Você vai me deixar sozinha?
— O João vai chegar...
— O João, claro.
— Vou separar umas roupas para a senhora e o Antônio e pedir para o Roberto trazer.
— Roupas, por quê?
— A senhora não vai passar a noite com ele?
Claro. Antônio não sairia de uma operação direto para casa. Nem eu.
— Vou, claro que vou.
— Melhor não dizer nada para o João, vai assustar ele...
Como quiser. Sai Lauro e entra Laura para me dizer que sou péssima mãe.
Entrei no quarto, fiz menção de começar a responder os e-mails que já estavam acumulados, mas não tive cora-

gem. Primeira vez em minha vida que deixava de responder e-mails sem ter acabado a bateria do celular. Havia também muitas mensagens. Uma delas de Lucas. "Gostou do jantar?" Tentei ligar para Lauro. Caixa postal. "Lauro, estou no hospital com o Antônio, que está sendo operado. O baço dele se rompeu. Seria bom se estivesse aqui." Liguei para Lucas:

— Que surpresa boa.

Tive que disfarçar o choro.

— Estou ligando pra agradecer pelo jantar.

— Foi um prazer cozinhar para uma pessoa tão exigente. Chegou bem em casa?

— Sim...

— Está tudo bem? Sua voz está diferente...

— É que estou no escritório...

— Vou na abertura de uma exposição hoje. Acho que você iria gostar. Quer ir comigo?

— Hoje não posso. Vou trabalhar até tarde.

— Tá bom.

— Vamos nos falar, Lucas. Queria mesmo era te agradecer.

— No próximo, você cozinha...

— Pode deixar.

— Um omelete? Vou ficar do seu lado para vê-la abrir os ovos.

Dei risada. Bem provável que estivesse apaixonada.

— Combinado. Nos falamos. Beijos.

— Beijos.

Assim que desliguei, a enfermeira entrou dizendo que Antônio estava chegando. Eu tremia. Se não sabia ser mãe de uma criança saudável, imagina de uma criança doente. Ele estava desacordado. Acariciei seus ombros. Se ficasse assim, dormindo, seria mais fácil. Um médico chegou logo em seguida.

— A senhora é a mãe desse meninão? Prazer, doutor Paulo.

— Prazer, Clarissa.

— Temos que agradecer pela rapidez com que chegou aqui depois do tombo na escola. Ele caiu com o abdômen no chão e sofreu uma rotura esplênica. A cirurgia foi ótima, conseguimos retirar o baço sem maiores complicações. Não corremos mais risco de vida, mas ele ficará mais uns dias aqui para observarmos a evolução. Seu garotão foi muito forte durante toda a cirurgia.

— Então não tem mais risco nenhum?

— Fora de perigo! Agora ele terá que tomar medicação e vacinas, mas o pediatra dele conversará com a senhora. Tem algo mais que queira me perguntar?

— Baço? O que é um baço?

Doutor Paulo riu. Não estava tentando ser engraçada.

— Baço é um órgão que fica do lado esquerdo do abdômen. Em alguns casos de trauma, ele se rompe e causa uma hemorragia interna que pode levar à morte. Mas fique tranquila que seu filho viverá bem sem ele. Amanhã o pediatra irá explicar tudo com mais detalhes. Ele está medicado e deve dormir a noite toda. Qualquer coisa que precisar, toque essa campainha que os técnicos de enfermagem vêm atendê-la.

— Obrigada, doutor.

— Até amanhã.

Me senti reconfortada com a praticidade dele. Sim, estava tudo bem. Sem baço e tudo bem. Logo estaríamos em casa, Lauro estaria de volta, Miguel teria explodido e minha vida voltaria aos eixos. Nunca pedi demais. Era justo que as coisas se mantivessem do jeito que sempre foram e que sempre me pareceram suficiente. Se o problema era que eu andava um pouco difícil, ou intragável, eu estava dando tudo de mim para resolver isso. Até curso de culinária tinha feito. Até aquele porco eu tinha encarado. E foi a minha determinação de superar meus limites que fez com que eu me apaixonasse tão rápido. Lucas faria de mim uma Clarissa que nunca ninguém havia imaginado e, em breve, minha vida voltaria ao normal.

Deitei no sofá ao lado de Antônio e adormeci. Acordei com o telefone do hospital tocando. Era a atendente pedindo autorização para o Roberto subir. Abri a porta do quarto. Ele entrou devagar, com solenidade. Quando viu Antônio, começou a chorar.

— Meu menino — disse.

Se não conseguia ser boa mãe, ao menos pagava o salário de pessoas que gostavam realmente deles. Mas com pouco crédito nisso. Lauro que escolheu todos, sempre bom em lidar com empregados. Se senta para almoçar com eles, não anda no banco de trás com o motorista e fica tão à vontade que contratou uma mulher com o seu nome para ser seu braço direito na casa.

— Obrigada — eu disse, apontando com a cabeça para a mala. — Ele está dormindo desde a hora que entrou. A enfermeira falou que deve acordar só amanhã. Queria comer algo. Você ficaria aqui com ele?

— Claro, dona Clarissa.

Saí do quarto pensando em ir ao restaurante do hospital, mas, quando vi, estava dentro do carro dirigindo. Parei o carro no Lougreden. Sentei-me na mesma mesa de quando estive com Lucas. Comi sem pressa. Entre um prato e outro, respondi dezenas de e-mails. Parecia que tudo voltara ao normal. Mas quando veio a conta, junto com ela veio a realidade. Voltaria ao hospital, dormiria ao lado do meu filho convalescente. Pensei em pedir ao Roberto que também passasse a noite lá, mas não tive coragem. Precisava conseguir passar por aquilo sozinha, precisava conseguir ficar ao lado de Antônio e tranquilizá-lo no meio da noite.

Roberto estava dormindo na poltrona e se assustou quando o acordei.

— Desculpe, dona Clarissa, peguei no sono.
— Ele acordou?
— Não, senhora.
— Pode ir, então. Traga Laura amanhã cedo, pois vou ter que ir para o banco. Peça a ela que me traga roupa e sapato para trabalhar. E você fica com o João na parte da manhã.
— Sim, senhora. Boa noite. Que ele fique bem logo.
— Tchau.

Adormeci sem nem tirar os sapatos. Acordei algumas vezes de madrugada com a enfermeira vindo trocar a medicação. Antes de amanhecer, Antônio acordou.

— Pai? Pai?
— Oi, Antônio. Eu estou aqui.

Me levantei e fui até o seu lado.

— Onde a gente está?
— No hospital.

Ele olhou para as sondas no seu braço.

— Eu estou doente?
— Não mexa nisso — eu disse, retirando a mão dele das sondas. — Você não está doente. Agora você está bem.
— Cadê meu pai?
— Ele viajou, não se lembra?
— Por que ele não está aqui?
— Eu disse, Antônio, ele viajou.

Ele levou as mãos ao abdômen.
— Por que estou com isso?
— Você foi operado, Antônio. Teve que retirar o baço.
— O que é baço?
— Pelo que entendi, é um órgão sem importância que dá um trabalho danado quando sofre alguma pancada.
— Foi porque eu caí na aula de *parkour*?
— O que é *parkour*?
— Você não sabe o que é *parkour*, mãe?
— Não sabia nem o que era baço...
— É uma aula para pular obstáculos...
— Ah, que legal. Seu pai que deve ter inventado essa história, aula de *parkour*...
— Cadê meu pai?
— Ele vai chegar. Eu estou aqui.
— Não quero você, quero meu pai.
Eu também queria que seu pai estivesse aqui, e não eu.
— Seu pai vem amanhã.
— Quero ele agora, liga pra ele vir agora.
— Fique calmo, Antônio.
Toquei a campainha para a enfermeira.
— Ele está meio agitado, acho que acabou o efeito do remédio.
A enfermeira colocou a mão em seu ombro, fazendo carinho nele.
— Por que eu tive que tirar o baço?
— Você joga muito futebol?
— Sim.
— Conhece o Pelé?
— Claro!
— Sabia que o Pelé também teve que tirar o baço?

A enfermeira piscou para mim. Que imaginação!

— Sério? Por quê?

Ela começou a contar uma história que encantou o menino. Qualquer desconhecida sabia lidar com meu filho melhor que eu. Olhei o relógio. Eram quase seis da manhã. Liguei para a Laura.

— Venha logo, Laura. Preciso chegar cedo ao banco.

CAPÍTULO 9

Todo banco tem suas normas internas. Não estou falando das normas protocoladas, falo das normas subentendidas, daquelas que só se conhece depois de um bom tempo de casa. Por exemplo, o Tanuri, meu chefe. Ele detesta ser interrompido nas primeiras duas horas do dia. Se precisar falar com ele logo cedo, peça uma reunião ou encontre-o na área do café, mas nunca vá até sua mesa e diga "preciso falar com você". Tenho mais de vinte anos de casa e, naquela manhã, cheguei ao banco e fui direto para sua mesa: "Tanuri, preciso falar com você". Ele olhou para mim, ainda tinha um resquício do rosto inchado da noite de sono, e disse para eu marcar um horário. Tudo se passou em um minuto, mas foi o suficiente para virar o assunto do dia no banco. Pedi um horário para a secretária e ela disse que ele só teria o almoço. Tinha ficado de ir ao hospital na hora do almoço conversar com o pediatra. Merda. Não havia possibilidade de dizer que não podia, já que eu que havia pedido a reunião. A Laura que teria que conversar com o médico.

Desci para o café para ver a Carolina.

— Está tudo bem?

Ela fez uma cara de preocupada ao meu ver.

— Indo, Carol, indo. Quando seu ex saiu de casa, você se sentiu sozinha?

— Nunquinha. A solidão acompanhada é a pior que tem.
— Como faz para estar sempre alegre?
— Não sei, nunca pensei nisso. Vou vivendo um dia de cada vez.
— Quem não vive um dia de cada vez?
— A maioria das pessoas.

Pensei em Lucas. Pensei em Lauro. Pensei em mim. Carolina dizia umas coisas que me deixavam toda reflexiva.

— A senhora quer um café?
— Nem sei. Traz um cappuccino, vai. Carol, você tem namorado?
— Depende.
— Depende?
— Depende do dia. Desde que me livrei do traste, não quero mais homem encostado em mim. Homem é bom para se divertir, e só.

Por esse ângulo, Lucas era um parque de diversão.

— Já conheceu um homem que soubesse cozinhar?
— Homem que não entra na cozinha, nem que seja pra lavar a louça, nem tem vez lá em casa.

Cada um com sua realidade. Talvez estivéssemos falando da mesma coisa, mas de formas diferentes.

— Está certa. Tira o cappuccino pra mim, então, que preciso subir.

Ao meio-dia, eu já estava no restaurante aguardando o Tanuri. Ele se atrasou vinte minutos, queria que eu pagasse por ter ido até sua mesa. Pensei em ligar para o Lucas enquanto o esperava, mas, em vez disso, liguei para o Lauro. Caixa postal. Liguei para a Laura, que disse que o pediatra ainda não tinha aparecido. Antônio estava bem, assustado ainda, mas tinha dormido bastante durante a manhã. Perguntei se ela havia recebido notícias do Lauro. Nada também.

Tanuri chegou quando eu ainda estava falando com ela e escutou a palavra "hospital".

— Tudo bem?

— Meu filho mais velho caiu e teve que fazer uma cirurgia.

— Ele está bem?

— Sim, logo mais vai pra casa.

Talvez eu o comovesse com aquela história de baço e risco de vida. Mas fazer a coitada nunca foi meu estilo.

— Desculpe ter ido até sua mesa.

— Desculpada. Mas que não se repita.

— Não se repetirá. Quero conversar sobre a campanha do Miguel para se sentar na minha cadeira.

— A campanha é dele, mas você sabe que toda sua área está dando apoio, certo?

— Isso quer dizer...?

— Que, se o Miguel estivesse isolado, você não teria com que se preocupar.

— Mesmo a área estando tão bem tocada?

— Você sabe que é uma área cara para o banco. O que o Miguel colocou na mesa é que dobraria o número de mandatos.

— Sem aumentar a área?

— Sim, sem aumentar.

— Impossível! O dobro de *deals* com a mesma estrutura e do jeito que o país anda?

— Ele diz ser possível.

— Então só me resta cobrir a aposta?

— Sim, Clarissa. Faz tempo que os sócios falam nisso, você sabe. Estava protegida por causa do Mauricio, pela maneira dele de gerir o banco. Mas esse tempo acabou, e desde que ele se afastou ficou difícil proteger você e a maneira que gosta de tocar a área.

— Entendido.

Chamei o garçom, queria pedir um champanhe, mas me controlei e pedi uma tônica. Tanuri viu que eu estava abalada e se regozijou com isso. Sempre foi um escroto. Começamos quase juntos no banco. Ele sempre bom político, puxa-saco, vendedor. E homem, claro. Subiu mais que eu. Nunca me importei com isso. Fui longe, mais longe que pensara em um universo tão machista. Mas o tempo todo tive a impressão de que sempre o incomodei. Ele sabia que, por mérito, era eu que deveria estar em seu lugar. Se tivesse nascido homem, claro.

— Em quanto tempo ele prometeu dobrar a área?
— Um ano.
— Está bem. Tenho mais um ano então na cadeira. Quero o Miguel fora da minha área. Se em um ano eu não conseguir, eu mesma peço para sair.

Me comprometi com o impossível. Essa foi a cama que o Miguel armou para mim e tive que deitar. E esse idiota do Tanuri fazendo cara de que estava sendo bacana em me dar essa chance, fazer a minha vontade, tirar o Miguel do jogo. Todos uns calhordas. Puxa-saco se alia a puxa-saco, sempre foi assim. Miguel sempre lambeu o chão para o Tanuri. Dois incompetentes. Ainda tive que almoçar falando de barco, o barco novo de tal cliente, o barco que foi apresentado na feira de Mônaco que o Tanuri quer comprar para sentir que seu pau é maior.

Saí do almoço e fui direto para o hospital. Laura estava vendo televisão e Antônio jogando no celular. Não tinha mais a cara abatida da noite passada. Sentei ao seu lado, aliviada.

— Como você está?
— Bem — ele disse, sem tirar o olho do jogo.
— O médico passou aqui?

— Sim, senhora.

Laura sorriu. Passei a mão na cabeça de Antônio.

— Está chorando, mãe?

— Choro bom, Antônio.

— Como é choro bom? Não conheço...

— É choro de quando estamos felizes. Você fica um minuto sozinho para eu conversar com a Laura? Tenho que voltar para o trabalho, mas de noite ficarei aqui com você.

Antônio não respondeu, já havia voltado para o celular. No corredor, pedi detalhes para Laura sobre a conversa com o médico.

— Ele disse que estava tudo bem, que agora precisa ficar acompanhando apenas. Mas depois o seu Lauro pode explicar melhor.

— Lauro? Ele estava aqui?

— Não, ele ligou bem na hora que o médico estava no quarto.

Até da Praia do Sono o Lauro conseguia ser mais presente que eu.

— O médico disse para a senhora ligar para ele.

— Vou ligar. O Lauro disse quando volta?

— Não, senhora.

— O Antônio falou com ele?

— Não, ele estava dormindo e o seu Lauro não quis que o acordasse.

Ao menos agora voltaria para casa. Quem sabe até renunciasse àquela paixão à medida que desmontasse a barraca, e a trilha para voltar da Praia do Sono seria o caminho da despedida. Os dois subiriam e desceriam o morro de cabeça baixa, o caminho estaria lamacento pela chuva que não cessava desde a noite anterior. Não falariam um com o outro;

ele angustiado por estar entre a cruz e a espada — abandonar a família para viver uma paixão? — e ela irritada por ir embora antes do combinado e mais uma vez ser colocada em segundo plano. Em uma decida íngreme, ela escorregaria e sujaria sua bunda malhada de lama. Ele a ajudaria a se levantar, voltariam a caminhar. Ela à sua frente, ele refletindo que aquela bunda que rebolava a poucos metros de sua mão, aquela bunda pela qual ele estava disposto a abandonar os filhos que tanto amava e a mulher que o sustentava, podia ser transformada em um único segundo em um lamaçal.

Sorri.

— A senhora vai ficar aqui?

— Imagine, Laura. O banco está pegando fogo. Mas quando sair venho direto pra cá. Veja se não tem a casa de algum amigo para o João ir brincar. Fale para o Antônio que mais tarde estou aqui. Tchau.

Cheguei ao banco e pedi à secretária que convocasse uma reunião com a área para as quatro da tarde.

— Menos o Miguel.

Havia combinado com Tanuri que conversaríamos nós três na manhã seguinte para avisá-lo de que seria transferido. Sentei à mesa e comecei a pensar de que forma conseguiria dobrar a quantidade de mandatos. Teria que conseguir em doze meses uma expansão que demoramos anos para alcançar — isso porque o país estava voando. Me comprometi em dar um tiro no meu próprio pé. Precisaria ser muito forte e contar com bastante sorte para conseguir levantar a arma e acertar Miguel.

Primeiro passo, por onde tudo começa: uma lista. Lista de coisas que não podíamos perder à medida que fôssemos crescendo; lista de coisas das quais teríamos que abrir mão para atender mais clientes; e a lista principal: novos mandatos. Fiquei tão focada em montar uma estratégia para apresentar na reunião que a secretária teve que vir me chamar para avisar que todos já me aguardavam na sala de reunião. Passei pela mesa do Miguel em passo lento. Ele me olhou tentando imprimir confiança. Um covarde. Esse nunca vai me enganar.

— Equipe, primeiro quero parabenizá-los pelo lindo movimento que fizeram para me tirar da área. A consequência direta disso é que teremos que dobrar nossa receita em um ano. E quem não ajudar está fora. Assim como Miguel.

Todos olharam para a cadeira vazia onde ele costumava se sentar.

— Hoje tive que ouvir que nossa área é uma das mais caras do banco. Parece que a ideia de vocês de criar um motim deixou isso claro aos sócios. Se quiserem ainda estar trabalhando aqui no ano que vem, é melhor se esforçarem. Quero que cada um me apresente seu *pipeline*. Alguém tem algo a dizer?

Luiz coçou a orelha. Os outros dois não se mexiam. O silêncio durou mais de dois minutos. Philippe, por fim, falou:

— Entrará mais alguém *senior* na equipe?

— Não. Nem *senior*, nem júnior, nem mesmo um *estag*! Essa é mais uma conquista de vocês. Trabalharemos o dobro. Se atualmente chegamos às nove e saímos às nove, daqui a um ano, se tudo der certo, poderemos deixar nossas famílias e nos mudarmos para cá.

Não tinha entrado na reunião naquele clima, mas a cara deles de culpados suscitou a vontade de fazê-los se sentir ainda piores do que já eram. Bando de covardes, machistas, mesquinhos.

— Se não tiverem mais nada a acrescentar, voltarei para minha mesa. Tenho muito que fazer e não posso passar a noite aqui pois preciso fazer companhia ao meu filho que quase morreu depois de romper o baço. Espero a lista amanhã.

Saí da reunião e fui até o café. Carolina não estava lá, pena. Pedi um cappuccino e comecei a responder e-mails quando senti alguém me cutucar.

— Desculpe, Clarissa. *Bad move* na equipe.

Não respondi. Me virei de costas para ele e voltei a responder os e-mails. Coitado do Luiz. Quem tem o coração maior é sempre quem sofre mais. Para minha alegria, logo nessa hora chegou uma mensagem do Lucas me convidando novamente para fazer algo com ele. Desta vez, era para ir dançar no dia seguinte. Samba no *happy hour*. Minha cara. Nem respondi, precisava de alguma forma sinalizar que o terreno era muito mais estreito que isso.

Deixando muita coisa por fazer, consegui sair do banco às oito e meia. Estranhei que Laura ainda não tivesse me ligado, mas ao menos queria dizer que estava tudo bem.

Entrei no quarto evitando fazer barulho com o salto, vai que o Antônio estivesse dormindo. Tomei um susto quando vi que Lauro estava lá. Lia uma história para ele. Estavam compenetrados, nem me notaram. Fiquei parada na porta. Não me lembro de ter me sentido tão feliz por ver Lauro. Quis me jogar em seus braços, pedir que contasse também a mim um conto de fadas; se quisesse, podia até me contar sobre seus dias na Praia do Sono, queria ouvir qualquer coisa que me tirasse da dureza que estavam sendo meus dias. Fiquei ali, apoiada na parede, ouvindo a história do João e o pé de feijão; e só quando terminou entrei no quarto.

— Como está se sentindo, Antônio?

— Amanhã vou pra casa.
— Que bom!
Dei um beijo em sua bochecha. Antônio virou o rosto. Sempre foi essa nossa intimidade.
— Laura foi pra casa? — perguntei a Lauro.
— Sim.
— Que horas você chegou?
— Por volta das quatro.
— Falou com o médico?
— Sim. Depois conversamos sobre isso.

Antônio estava quase dormindo. Lauro ficou ao seu lado e eu me deitei no sofá e fiquei respondendo e-mails. Acabei adormecendo também. Acordei com uma mensagem chegando. Era de Eduardo. "Espero que seu filho esteja bem." Lauro estava dormindo na poltrona. Pensei em acordá-lo, chamá-lo para comer algo, mas estava exausta. Desliguei o celular, virei para o lado e dormi.

Na manhã seguinte, acordamos com Laura entrando no quarto. Era o dia da alta de Antônio. Se Lauro não estivesse conosco, possivelmente Antônio sairia do hospital apenas com Laura. Mais do que nunca, não poderia me ausentar do banco. Peguei o cabide com a roupa e os sapatos que ela trouxe e fui ao banheiro me arrumar. Estava tenebrosa. A maquiagem do dia anterior tinha escorrido por todo o rosto, deformado pelo mau jeito que dormira. As olheiras estavam roxas, o cabelo desgrenhado. Se chegasse com aquela cara ao banco, Miguel declararia o jogo ganho. Tomei um banho demorado, lavei o rosto com o xampu do Homem-Aranha de Antônio. Fiquei surpresa que cheirasse tão bem aquele xampu. Alegrei-me ao pensar no quanto meus filhos eram bem cuidados e lembrar que Lauro estava de volta. Saí do banho e coloquei o vestido de seda que Laura trouxera. Meu pé ainda estava inchado por ter dormido com os sapatos, mas com um pouco de jeito consegui colocar o novo par nos pés. Quando saí, maquiada e me sentindo renovada, Laura disse que Lauro me esperava na cafeteria. Não tinha tempo para ir até lá, mas, do jeito que ele andava, era melhor ao menos dizer isso pessoalmente. Vai que resolvesse voltar para a Praia do Sono...

Cheguei ao seu lado e ele não me notou. Olhava pela janela, estava a quilômetros de distância, havia sofrimento no seu rosto. Não conhecia aquela expressão. Sentei-me ao seu lado.

— Quer um café? — ele perguntou se virando para mim. Já havia me notado; eu que não percebera.

— Um café. Lauro, eu sei que é um assunto repetitivo em nossa vida, mas agora, mais do que nunca, vou ter que trabalhar bastante.

Ele me olhou com um ar desesperançoso.

— Fizeram um complô contra mim...

— Vou sair de casa.

— O quê?

— Vou sair de casa, Clarissa.

— Não venha com esse papo de novo! Não faça isso comigo! Pelo amor de Deus, Lauro. Já disse, pode viver essa paixão, mas não vá embora. Esses dias na Praia do Sono não foram suficientes?

— Praia do Sono?

— Onde estava?

— Na Argentina.

— Esquiando?

— O que importa?

— Nada, só pra saber...
— Esquiando, sim.
— Achei que estivesse na Praia do Sono. E os meninos?
— O que tem?
— Vão morar com vocês?
— No começo, não. Precisamos de um tempo, organizar as coisas, para depois poder ficar com eles.
— E quem vai cuidar deles enquanto se organizam?
— Eu cuidei deles até aqui. Chegou a hora de você aprender a ser mãe, Clarissa.

Palmas para a frase de efeito. Lauro acha que estamos onde, num filme? *Kramer vs. Kramer*? Porque a vida real é feita de contas a serem pagas. Ele vai pagar as dele como, vendendo mate na academia?

— Vou tentar chegar antes das nove em casa. De noite, conversamos.

Levantei-me e saí sem tomar o café.

CAPÍTULO 10

Clientes. O mundo gira em torno dessa palavra. Qualquer comércio, escritório, organização do mundo em que vivemos depende deles. Nós todos somos clientes, e nós todos dependemos deles. Claro que esse nome tem pequenas variações: o cliente de um médico é o paciente, o de uma escola é o aluno, o de um filme é o público. Todas essas relações são baseadas em uma troca, seja vendendo uma esponja, seja vendendo um lugar numa peça de teatro, uma consulta médica ou uma carteira de investimentos. Eu era muito boa nisso. Sabia representar a mulher confiável, inteligente e disposta a dar tudo de si para fechar o melhor *deal*. Os melhores adjetivos do mercado financeiro, trazia todos no rosto durante as reuniões. Fiquei tão boa nisso que era difícil não fechar a prospecção. Mas, depois que me instalei confortavelmente como *head* da minha área, foi um alívio delegar aos outros o teatro e ser quem eu era. Bastava que os boçais da área manejassem o que eu havia conquistado. Fazia alguns anos que só me envolvia nos negócios que estava a fim, o resto delegava para a equipe. Sabia que a arrogância estava tão estampada em minha cara que talvez não conseguisse mais disfarçá-la em prospecções que não me interessavam. Por exemplo: a venda de uma empresa de embutidos no oeste de Santa Catarina. Só para chegar lá, demoro um dia! Fora que essas reuniões são sempre em fábricas que fedem a banha derretida! Se quase morri com aquele porco aberto na aula de culinária — e olha que tinha os dentes de Lucas para me alegrar —, imagine meu mau humor em uma fábrica dessas! Mas talvez agora que meu coração vinha amolecendo eu não achasse tão ruim esse tipo de empreitada e conseguisse sorrir com alguma sinceridade para o colono que eu ajudaria a se tornar um milionário.

Resolvi me reunir individualmente com cada um da área e montar estratégias diferentes. Às nove horas conversaria com Eduardo; às dez com Luiz; e às onze com Philippe. Ah! Às oito horas escorraçaria Miguel da equipe, por isso estava na sala de reunião aguardando. Se Lauro tivesse a cabeça um pouco mais ambiciosa, teria percebido que abrir uma loja de mate na academia não o levaria muito longe. Quando ele veio com essa ideia, largar o marketing da empresa em que trabalhava para vender mate, dei risada. Ele ficou ofendido. Fiquei séria e perguntei o que ele pretendia com isso. "Ganhar dinheiro", ele dissera, como se fosse uma resposta óbvia. Não é tão óbvio. Para ganhar dinheiro, precisa de clientes! Clientes, clientes e clientes! Vender mate em uma academia não era o lugar mais propício para encontrá-los. Ele se ofendeu e disse que as pessoas tomavam mate antes ou depois de malhar, e só depois de algumas semanas entendi por que ele defendeu sua ideia com unhas e dentes. Ele já tinha fechado negócio e, mais do que me consultando, ele estava me comunicando que largaria o emprego para virar um empreendedor. Ai, Lauro, faça-me o favor. E agora aquele papo de me ensinar a ser mãe? Em que mundo ele vivia?

Miguel e Tanuri entraram na sala naquele momento, e consegui organicamente somar a raiva de Lauro à figura patética de Miguel.

— Está feliz? — perguntei.
— Feliz ficarei daqui a um ano.
— A guerra é declarada?
— Você nunca se esforçou para ser diferente disso.
— Sem se fazer de coitado, Miguel. Já sabe para onde vai?
— Não.
Ambos olharam para Tanuri, que parecia decepcionado por nos agredirmos tão brevemente.
— Você vai ser recolocado no escritório da Argentina.
— Argentina? — eu e ele dissemos ao mesmo tempo.
Segurei o riso: "Argentina" era a palavra do dia. Se para Lauro o país havia proporcionado lindos momentos em paisagens brancas e azuis, onde ele e sua amante deslizavam sorrindo por montanhas de neve, patrocinados pelo meu dinheiro — porque quem mais teria pagado aquela viagem, os mates que Lauro vende? —, para Miguel, a Argentina representava uma jogada de escanteio, uma punição que com certeza não foi orquestrada por Tanuri. O escritório era pequeno, apenas uma posição estratégica que o banco mantinha sem nenhuma pretensão de que fosse para frente. Miguel não teria comparsas para maquinar seu veneno, secretária para gastar seu machismo, chefes para lamber a bunda. Seriam ele e mais três hermanitos atendendo o telefone. Se fosse esperto, ao menos aprenderia a falar espanhol decentemente.
— Qual é o motivo de me mandarem para a Argentina?
— Não foi uma decisão minha.
Shazam! Ao menos eu não estava sozinha. Do Olimpo alguém olhava por mim! Algum sócio majoritário deve ter intervindo a meu favor. Aquilo me fortaleceu. Levantei-me e perguntei se poderia voltar para a mesa. Tanuri assentiu.
— Boa sorte, Miguel.

Ele lançou-me um olhar cortante. Não me abalei, tive mesmo é que conter minha alegria. Saber que existia ao menos um ser fálico ao meu lado dentro daquela selva de homens gananciosos foi como uma corrente de energia acoplada em meu sangue. Voltei à minha mesa e vi uma nova mensagem de Lucas. "Samba hoje?" Mas aquela história de samba de novo? Me arrepiava só de pensar em ir a uma roda de samba. Por outro lado, Lauro estaria em casa me esperando para uma conversa, e isso me arrepiava mais ainda. "Samba, sim!", respondi. Uma roda de samba cercada de pessoas suadas e com cheiro de cerveja não seria pior do que ter que conversar com Lauro sobre a possibilidade de ele me deixar sozinha com as crianças. Saí do banco às nove e meia da noite. Havia sido mais dura do que de costume com minha equipe e isso me fez um bem danado. Sabiam que eu estava irritada com eles, me sentindo traída, sabiam da operação de Antônio, então levaram todas as pauladas sem protestar, e eu pude despejar toda a minha raiva. Às nove da noite, eles foram para casa; fiquei meia hora a mais para deixar claro que a área era minha e que não era à toa que estava sentada naquela cadeira. No meu celular tinha uma mensagem do Lucas, mas, estranhamente, nenhuma de Lauro. Ele estava me esperando para a tal conversa de separação. Será que desligamento não seria uma palavra mais apropriada? Porque, depois de alguns anos de casamento, marido e mulher viram sócios apenas. A paixão, o tesão e o carinho são substituídos por uma planilha que define quanto entra, quanto sai, e a folha de ponto de cada um deles. Não vejo mal nenhum nisso. Achava nossa empresa um exemplo de sucesso, quase uma *corporation*. Eu entrava com o dinheiro, Lauro, com o tempo; e ninguém parecia insatisfeito. Ele tinha que vir com aquela história de se apaixonar? Não percebia que essa bobagem que ele chama de amor, inevitavelmente, ao longo dos anos, seria transformada em uma nova e complexa planilha? O amor de hoje é a planilha de amanhã, Lauro! Mas não adiantava falar. Se ele me escutasse, nem a loja de mate teria aberto.

E lá fui eu, cansada, exausta, para uma roda de samba na Vila Madalena onde um homem barbado me esperava para fazer de mim uma pessoa melhor.

Cheguei ao bar bem no momento em que os músicos tinham feito uma pausa. Para minha surpresa, o lugar era amplo, limpo e bonito. Tinha muitas plantas e algumas espreguiçadeiras. Não havia muita gente e a maioria das pessoas que estavam ali combinava com minha idade. Procurei Lucas com os olhos, ainda da porta, mas não consegui localizá-lo. Essa era uma tribo que eu não conhecia. Achava que a maioria das pessoas perto dos cinquenta preferia Netflix em casa a uma roda de samba em plena quarta-feira. Achei delicado da parte de Lucas me levar a um lugar onde eu não fosse a tiazona. Fui até o balcão e me surpreendi com uma carta de drinques. Pedi um *bloody mary*, pois estava com fome e um suco de tomate me faria bem, ainda mais com vodca. O *barman* era um homem bonito, a forma de se vestir e a barba eram muito semelhantes às de Lucas. Ele trouxe a bebida e perguntou se eu queria comer alguma coisa.

— O que tem? — perguntei.

— Estamos com um *chef* convidado, vou pegar o menu especial.

Ele entrou por uma porta que dava para a cozinha e, quando voltou, Lucas estava ao seu lado. Realmente eram muito semelhantes, mas Lucas era mais alto e mais bonito. O que um homem daqueles tinha visto em mim?

— O que gostaria de comer? — ele perguntou como se não me conhecesse. A malícia transbordava de seu rosto. O *barman* estava ao seu lado. Fiquei desconcertada com toda aquela juventude tão perto de mim.

— O que sugere?

— O ovo *poché* na espuma de cogumelos.

Ele não esquecia nunca a história do ovo. Sorri.

— Perfeito. Adoro ovo.

O *barman* anotou o pedido e foi levar à cozinha. Lucas se debruçou no balcão e falou perto do meu ouvido:

— Achei que não viesse mais.

— Minha vida anda um pouco complicada.

— Algo que eu possa te ajudar?

Sim. Adotar duas crianças ou ter uma empresa que valha no mínimo meio bilhão.

— Sim, não desistindo de mim mesmo que eu não responda suas mensagens.

— Fácil, já me habituei a isso — disse, e me lançou seu sorriso lindo. Nem sabia que estava com saudade dele.

Nesse momento, os músicos começaram a tocar e Lucas disse que já voltava. Um garçom veio me trazer o ovo e logo em seguida Lucas apareceu sem o avental e se sentou ao meu lado.

— Você está com a cara cansada.

— Vai piorar.

— Me conta um pouco da sua vida.

Gostaria de desabafar com ele tudo o que estava acontecendo, mas era impossível conversar com aquele samba.

— Outro dia te conto.

Ele passou a mão em meu cabelo. Apontou o prato.

— Está bom?

— Muito.

— Quer outro *bloody mary*?

— Sugira outra coisa.

Ele chamou o barman pelo nome e falou algo que não consegui ouvir. A música parecia ainda mais alta, mas, para minha surpresa, em vez de me incomodar, ela se sobrepunha a qualquer pensamento que começasse a se formular em minha cabeça. Se pensava em metas, refrãos como "Deixe a morena com a gente, deixe a menina sambar em paz" esmagavam os números. Se pensava em Lauro e Antônio sem o baço, outro refrão ainda mais bobo varria os pensamentos da minha cabeça. E havia Lucas sorrindo ao meu lado com seus dentes de marfim. E os drinques que chegavam um após o outro; de substancial em meu estômago apenas um ovo *poché*. Lembrei pouca coisa daquela noite. Sei que Lucas me conduziu pelo salão rindo da minha falta de jeito. Lembro da banda se despedindo e eu gritando "mais um". Lembro que conversei com pessoas que nunca vi na vida e que até fumei um cigarro. E só. Acordei às cinco da manhã na cama de Lucas. Ele dormia pesado. Havia tirado minha saia e blusa e pendurado em um cabide na cadeira. Meus sapatos logo em frente, perfeitamente alinhados. Era a segunda vez que dispunha minha roupa daquela forma; entendi que era uma homenagem, um respeito pelas nossas diferenças: ele com suas roupas de algodão jogadas pelo quarto, sua bicicleta na sala, seus vinte e poucos anos e sua vida de *freelancer*; eu com minhas roupas de seda, meu carro caro, minha vida corporativa. Acariciei seu rosto. Levantei-me em silêncio, coloquei minha roupa e procurei em vão a chave do carro. Não tinha ideia de como chegamos em sua casa. Pouco importava. Depois resolveria isso. Pedi um táxi e fui para casa.

CAPÍTULO 11

Passei em casa apenas para tomar banho e trocar de roupa. Não tive receio de que Lauro me visse, afinal de contas, quem tinha se apaixonado por outra pessoa era ele. Eu ainda estava tentando me apaixonar — ou já tinha conseguido, não sabia ao certo —, mas, de qualquer forma, ele estava alguns passos na minha frente e não poderia me recriminar por ter dormido fora de casa, ele que havia acabado de passar uns dias esquiando na Argentina com a xota da academia, ele que queria abandonar a família e os filhos. Imagina se eu, ao constatar que estava mesmo apaixonada por Lucas, falaria para Lauro: "Me apaixonei por outra pessoa, se vira que os filhos são seus!". Ou, para ser mais precisa: "As contas para pagar são suas!". Nunca! Mostraria a diferença entre nós àquela hora da manhã se ele acordasse e falasse alguma coisa; mas, quando entrei em nosso quarto, vi que ele não estava. Teria partido? Para meu alívio, depois de procurá-lo no escritório, vi que dormia ao lado de Antônio. Fui tomar um banho e me arrumar para ir ao banco.

Cheguei ao banco às seis e meia da manhã. Gosto do silêncio daquele horário. Tenho a sensação de que cheguei na frente, que me preparei melhor e que, quando todos chegassem e ainda estivessem se esquentando para decolar, eu já estaria voando alto. Em dias de muita tensão, ser a primeira a chegar era uma de minhas estratégias.

O material para ser apresentado na prospecção de clientes estava pronto. Revi cada ponto e dessa vez não mudei nada. O conteúdo estava bom, faltava apenas um apelo visual às laudas. Sempre disse que o banco precisava de um departamento de *design*, ninguém nunca me ouviu. Sempre paguei por fora esse serviço. Procurei na minha lista de e-mails o contato do escritório que fez os últimos trabalhos e pedi que montassem uma apresentação com a cara do Google, e não a mesmice em tons de azul e gráficos que todo banco apresenta a seu cliente. Queria algo que deixasse os clientes na dúvida se estavam conversando com um banco ou com uma empresa do Vale do Silício.

Às sete horas, Lauro ligou:

— Você dormiu em casa?

Dormi agarrada com o meu *chef* de cozinha.

— Sim. Cheguei tarde.

— Clarissa, não adianta fugir de nossa conversa. Hoje é quarta, sexta vou sair de casa. Melhor conversarmos até lá. Quero te ajudar a organizar a casa sem mim.

Aquela frase "organizar a casa" arrepiava minha vertebral.

— Conversaremos hoje. Antônio está bem?

— Sim. Vai à escola hoje.

— Você falou com os meninos?

— Quero primeiro falar com você.

Oba! Lauro não conseguira ainda falar com os meninos! Podia ficar tranquila, ele não iria embora.

— Conversamos hoje à noite.

— Tchau.

— Tchau.

No fundo, gostava de Lauro. Era um cara legal. Poderia propor a ele que passasse quatro dias da semana em casa organizando a rotina da casa, fazendo compras, ajudando os meninos com o dever, coordenando as empregadas e o motorista. Podíamos reformar o escritório para virar um quarto só dele; e nos outros três dias ele ficaria no quarto e sala que alugaria com a linda da academia — incluindo o fim de semana. Ficaria bom para todo mundo. Nossa empresa familiar seguiria firme e forte, os meninos teriam o pai ao seu lado, ele teria seus dias de sexo selvagem e eu poderia trabalhar tranquila e ver Lucas quando desse vontade. Tenho certeza de que, se Lauro me desse um tempo, ele veria que eu estava me transformando em uma pessoa mais agradável e que minha proposta era um ótimo negócio.

Resolvi descer para tomar um café e no elevador me lembrei do meu carro. Onde estaria? No *valet* do bar? Com Lucas? Precisava resolver isso mais tarde.

Sentei-me no balcão e pedi um misto-quente com cappuccino.

— A senhora está bonita. Gosto de ver a senhora assim.
— Obrigada, Carol.
— Soube da novidade. Fiquei feliz pela senhora.
— Qual?
— Que uma certa pessoa não vai mais trabalhar aqui.
— Você é muito bem informada, menina! Preciso conversar sempre com você!

Carolina riu.

— Aqui se ouve de tudo, querendo ou não. Mas sabia que seria assim, o lado bom sempre vence.
— Não venci ainda, diria que ganhei tempo.
— Confie e tudo vai dar certo!

— Coração mole e coração duro?
— Isso!
Voltei para a mesa e procurei meu livro dourado. Fazia muito tempo que ele estava esquecido no fundo da gaveta. Ele foi meu amuleto nos primeiros anos de banco. A cada cliente em potencial que ia conhecendo, enchia uma nova página do livro sobre ele. Nome, família, empresas, gostos, onde encontrar, como tratar etc. Devia estar bem desatualizado, mas ao menos era um norte para recomeçar e ver se ainda tinha algum talento para isso.

Comecei a lista dos lugares que teria que voltar a frequentar. O Jockey com certeza não seria mais um deles, nem clubes privados. Hoje os ricos se espalhavam por academias de ginásticas e exposições de arte. Se antes eles achavam divertido torrar dinheiro em apostas, se embebedar, fumar cigarros e comer putas, agora eles estavam interessados em parecer uma mente inteligente dentro de um corpo perfeito. Para isso, malhavam insistentemente e falavam sobre artes plásticas com ar de intelectual. E era atrás deles que eu teria que ir.

Bem, em primeiro lugar, voltar a frequentar jantares. Não era mais convidada para nada, precisava retomar os antigos laços. Ligaria para a Regina, mas para falar o quê? "Oi, Regina, sei que não somos mais amigas, não temos nada em comum, mas me convide para jantares com você para eu não perder meu emprego?" Eu precisaria ser mais sutil que isso. Tínhamos nos relacionado numa época em que ela estava casada com um dos sócios do banco e achou que ter uma amiga aqui dentro seria a melhor maneira de controlá-lo. E eu achei que ser amiga dela seria uma forma de garantir meu emprego. Ela era bem-nascida, bonita, estava sempre nas colunas sociais, mas era insegura e mimada. Me ligava constantemente para saber se o marido estava no banco, com quem tinha almoçado. Me convidava para jantares em sua casa, festas, e uma vez me chamou para passar uns dias com eles em sua casa em Laranjeiras.

Eu não negava nada e, mesmo exausta depois de ter ralado a semana inteira no sistema semiescravidão de quem está começando a carreira, na sexta-feira me arrumava para ir jantar em sua casa ou na de amigos seus. Regina me manteve próxima enquanto precisou de mim. Mas voltou apaixonada por um inglês depois de uma temporada na Europa e mandou o sócio do banco catar coquinho. Não precisava mais de mim e nunca mais me convidou para nada. Fiquei aliviada de ter saído da posição de informante, mesmo porque estava mais para aliada do seu marido. Toda a sua insegurança era bem fundada, já que o marido era mulherengo e escorregadio. Mas tinha que garantir meu emprego e estava certa de que tranquilizá-la sobre o bom comportamento dele era muito melhor do que lhe dizer a verdade. A verdade só serve para quem quer; ela queria apenas mentiras tranquilizadoras. Vi pelos jornais fotos do seu casamento com o inglês e meses depois o sócio foi desligado do banco. Fazia anos que não ouvia o nome dela, mas eram novos tempos. Acho que o termo "*socialite*" nem existe mais, foi substituído por "celebridades" e "*digital influencers*". Mas tenho certeza de que, mesmo não saindo nos jornais, Regina continua com aquela agenda de contatos de onde escorrem cifras, e basta um jantar em sua casa no Jardim Europa para ter em vista algumas prospecções. Sim, ligaria para Regina.

Estava nessas divagações enquanto lia notícias do mercado, quando o telefone da minha mesa tocou. Era a recepcionista, Lucas queria subir.

— Hã?

— O senhor Lucas disse que a senhora o está aguardando.
— Não! Não estou aguardando nenhum Lucas! Não, espere, diga a ele que vou descer.

Como assim, Lucas veio até o banco me encontrar? Quem ele pensa que é? Imagine o *frisson* se ele entrasse no escritório — com seu cabelo preso, aquela barba e camisa quadriculada —, viesse até minha mesa e me desse a chave do meu carro! Diria que era o quê? Um sobrinho meu? Desci pelo elevador aliviada por não ter nenhum conhecido descendo comigo. Cheguei à portaria e pude vê-lo de longe encostado em meu carro. Como era bonito! Nunca o tinha visto à luz do dia. Seu cabelo ficava ainda mais claro e seu corpo parecia maior. Fiquei reparando nele de longe. Acho que era o único homem com aquele *layout* na Faria Lima. Nem a moçada do Google se destacava tanto. Todas as mulheres que estavam entrando no prédio torceram o pescoço para olhar aquele homem encostado em meu carro. Tinha que me acalmar. Quem eu achava que era para ficar brava com aquele presente que a vida me deu, só porque fez a gentileza de trazer meu carro de volta? Brava eu deveria ficar se ele roubasse meu carro. Me aproximei sem que me visse e parei do lado do passageiro.

— Vamos entrar?

Ele se assustou com minha aparição repentina, abriu a porta e nos sentamos.

— Vamos a algum lugar? — perguntou, ligando o carro.
— Sim, até a garagem.
— Nem um café?
— Você não imagina como está a minha agenda...
— Tá bom. Vou ao menos dar uma volta no quarteirão. Gostei do seu carro.

— Também gosto dele.

Ele colocou a mão entre minhas pernas e, quando paramos em um farol, me beijou. Fiquei lembrando de todas aquelas mulheres que reviraram os olhos ao vê-lo e beijei-o com vontade.

— Tem certeza de que precisa voltar para o trabalho?

Essa era uma das poucas certezas que sempre tive na vida.

— Sim.

— Posso te ver hoje à noite?

— Tenho que ir pra casa.

Ele parou de me beijar e olhou o farol, sério. Fingi que não percebi sua mudança de humor.

— Me diverti no samba ontem como há muito tempo não fazia. Obrigada.

O farol abriu e logo chegamos à garagem do banco. Ele não falou mais nada.

— Minha vaga é essa. Tem um ponto de táxi logo aqui à direita.

Ele ficou me olhando, queria dizer algo, mas, em vez de falar, me puxou para mais um beijo. Me esquivei tentando não ser rude, mas estava tensa de alguém me ver ali.

Ele saiu do carro e foi embora sem dizer nada. Fiquei mais um tempo dentro ajeitando o cabelo e o batom. Decerto ficou emburrado porque não larguei o banco para ficar de conversa com ele por aí. Quem tinha uma foto do Che Guevara em casa era ele, não eu. Minha ideia de sucesso era trabalhar duro, não ficar filosofando por aí, nem adiantava ele ficar emburrado com isso. Voltei a lembrar de todas as mulheres virando o pescoço para olhá-lo. Não tinha a menor ideia do que aquele homem tinha visto em mim, mas não me esforçaria para saber. O problema era dele se, em vez de sair com uma *top model*, estava perdendo tempo com uma coroa meio gasta cuja maior qualidade, segundo ele, era o jeito de abrir ovos.

Voltei para minha mesa, marquei uma reunião na agência que faria o *design* do novo material de prospecção, respirei fundo e liguei para a Regina.

— Regina, aqui é a Clarissa, quanto tempo!

Não foi difícil conseguir que ela me aceitasse em seu mundo. Usei a palavra "divorciada". Coitada de mim, estava me separando do escalador gostoso que na crise da meia-idade me trocara por alguém mais jovem. Era um bálsamo para ela trazer para perto de si alguém assim, só ressaltaria a sua sorte por ter se livrado de um homem mulherengo e tupiniquim e casado com o *Sir* ainda mais rico e conhecido pelo velho mundo.

— Claro que te convido para jantar, estarei ao seu lado nesse momento. Logo o Lauro vai se arrepender de ter deixado você.

Desliguei o telefone feliz. Eram quase onze da manhã, achei que fosse um bom momento para infernizar a equipe. Mandei um e-mail para todos: reunião de área em vinte minutos.

CAPÍTULO 12
___

SEXTA-FEIRA É O DIA EM QUE AS PESSOAS ESTÃO MAIS BONITAS. Todos têm aquele ar de que por dois dias vão beber à vontade, foder à vontade e roncar. Eu detesto sexta-feira. É o prenúncio do fim de semana em família. O problema não é exatamente estar com eles, mas o conflito de interesses. Eu gosto de ficar em casa vendo Netflix, ir ao shopping e comer fora. Lauro e os meninos gostam de escalar, ir ao parque, clube — qualquer coisa que envolva suor. Por muito tempo, isso foi um motivo de briga entre mim e Lauro, mas alguns anos atrás fizemos um acordo: num fim de semana eu os acompanharia nessas coisas superinteressantes que eles fazem e, no outro, eu poderia aproveitar para fazer o que bem entendesse. Cheguei em casa decidida a seguir o estilo mãe e esposa companheira e passar o fim de semana com eles, mesmo que naquele não fosse obrigada. Lauro talvez estivesse zangado por eu chegar depois do jantar, mas ficaria mais tranquilo quando eu desse essa notícia.

Entrei em casa e o vi sentado no sofá, olhando para o nada. Desde que havia se apaixonado pela buça da academia, passou a ter esse ar dramático. Custava ao menos ligar a televisão e fingir que via um programa de esporte? Estava na cara que vinha chumbo, mas me fiz de desentendida.

— Cadê os meninos?
— Dormindo já.
— Qual é a programação deste fim de semana? Trabalhei tanto esses dias que resolvi ficar com vocês.
— Você não ouviu nada do que te disse durante a semana?
— Sobre o quê?
— Vou embora hoje, Clarissa.
Ele tinha me falado, realmente.
— Não vai embora, Lauro, uma bobagem isso. Imagine a vida dos meninos sem você! Pode achar que não, mas passei a semana pensando nisso e tenho uma proposta. O que acha de combinarmos uma agenda entre nossa casa e sua namorada? Pensei assim: você fica quatro dias da semana aqui, ajuda com a casa e os meninos. Você tem que aceitar minha incapacidade de gerir uma casa e filhos, Lauro! Pense nos meninos! Nos outros dias, você fica com ela, incluindo o fim de semana. Podem viajar, namorar à vontade, não precisa nem dar sinal de vida. A gente contrata uma folguista para ficar com eles. Pode até ser daquelas que falam inglês com as crianças, o que acha? E pensei também que poderíamos transformar o escritório no seu quarto. Você tira foto e mostra pra ela, prova que nem dormimos mais juntos. Ela tem que entender que você tem dois filhos pra criar… Fica bom pra todo mundo, não?
— Você me assusta.
— Eu? Você que abandona a família e sou eu que te assusto? E se forem três dias aqui e quatro com ela, fica melhor pra você?
Lauro se levantou. Nunca me pareceu tão alto. Eu me afundei ainda mais no sofá.

— Estou indo, Clarissa. Já conversei com os meninos. Não disse que estou indo morar com a Maria Antonia, disse que vou viajar e que você ficará com eles.

— O que eles falaram?

— Eles choraram, choraram bastante.

— Viu o que está fazendo com seus filhos?

— Eu, Clarissa? Você acha normal duas crianças ouvirem que vão ficar com a mãe e caírem no choro? Pense um pouco, você que é tão inteligente. Não quero isso pra eles, nem pra você. Já te disse, vou te ensinar a ser mãe.

Ai, aquele papo de autoajuda de novo. Desde quando eu quero aprender a ser mãe? Quer foder a Maria Antonia? Vai lá. Inclusive esse nome estava mais para filha de algum cliente do que para a xota da academia. Mas, como ia dizendo, quer foder outra e dizer que está me fazendo um favor?

— Seja menos hipócrita, Lauro.

— Esperei você a semana toda para conversarmos. Você fugiu todos os dias. Agora eu que não quero mais conversar.

Afundada no sofá, acompanhei aquele homem que nunca fora tão alto caminhando pela porta. Ele foi embora, o rei do mate partiu. E quer saber o que fiz? Levantei e fui preparar um omelete para comer. Caíram várias cascas de cada ovo na panela. O fogo estava forte e queimou a manteiga. Errei o sal. Mas comi assim mesmo. Comi e disse para mim mesma que estava maravilhoso. Deixei a bagunça para a Laura lavar e fui até o quarto dos meninos.

Criança era bom assim, dormindo. Ainda pensei: "Por que fui ter filhos?". Mas de que adiantava agora? No meu quarto, vi que Lauro tinha esvaziado o armário. Aquilo foi o sinal mais claro de que eu teria que me virar sozinha. Abri o computador e reservei um hotel fazenda. O Lauro que se foda. Ao menos o fim de semana seria tranquilo. Os meninos ficariam sob o cuidado dos monitores, vacas e cavalos. Eu ficaria entre o quarto e o bar. Domingo iríamos embora, todos felizes por terem feito o que gostam, eu pediria uma pizza e segunda de manhã Laura se ocuparia da casa. Contrataríamos mais uma babá e uma cozinheira. Laura ficaria encarregada de organizar tudo na casa: compras, agenda dos meninos etc. Em outras palavras, Laura viraria Lauro. Até que não foi ruim ele ter contratado alguém com o mesmo nome. Será que desde aquela época já estava planejando dar o fora? Mas também, que importa agora? Com dinheiro, tudo se resolve.

Quando acordei no sábado, os meninos estavam vendo televisão.

— Vão colocar uma roupa e arrumem as malas, vamos para um hotel fazenda.

— O papai vai também?

— Ele viajou, não disse isso pra vocês?

Silêncio.

— Vão arrumar a mala e coloquem uma roupa.

— A gente não sabe arrumar mala.

— Como não? Coloquem roupa dentro e está pronta.

Depois sou eu que não sei educar meus filhos. Dois garotos dessa idade e não sabem arrumar a mala?

— Estou com fome.

— A gente vai parar em uma padaria.

— Não sei onde tem mala, mãe.

— Coloca na mochila da escola. Tá ótimo! Vou tomar um banho e me arrumar.

Na padaria, deixei que os meninos se entupissem de açúcar para mostrar que nem tudo era ruim sem o pai. Comprei mais balas, chicletes e pirulitos para eles se distraírem na viagem. Estávamos os três felizes quando entramos no carro para começar a viagem. Eu tinha a nítida sensação de que me viraria perfeitamente sem Lauro. Só que não. Nem havíamos chegado ao hotel fazenda e o João já tinha vomitado. Parei o carro e o vi todo melecado em sua cadeirinha. Estávamos no meio do nada.

— Estou enjoado. Tem remédio?
— Remédio? Que remédio?
— Que o papai me dá para não enjoar.

Tinha que dar remédio e ninguém nunca me avisou?

— Eu não trouxe o remédio, mas está tudo bem. Já estamos quase chegando.

A verdade é que mal tínhamos saído de São Paulo. Fechei a porta e voltei para a direção, quando Antônio gritou:

— Você não vai fazer nada?
— O que você quer que eu faça?
— Limpa essa coisa nojenta.
— Antônio, vamos chegar daqui a pouco. Termina de ver seu filme aí.
— Está fedendo, mãe. Eu vou vomitar se ficar aqui.
— Então pula para o banco da frente.
— Eu não posso andar no banco da frente.
— Claro que pode. Na sua idade eu já estava quase aprendendo a dirigir.

Antônio se sentou do meu lado, todo feliz. Abri as janelas e continuei a viagem sem desanimar. Crianças vomitam, eu sabia disso, era só não se desesperar. João logo dormiu e eu acelerei para chegarmos o mais rápido possível. Uma hora depois, já perto do hotel, dei de cara com um guarda rodoviário, que me mandou parar. Num estilo filme americano, ele se aproximou com seus óculos Ray-Ban e um jeito de xerife:

— Bom dia, senhora. Documentos, por favor.

Nem respondi o bom-dia. Precisava atrasar a minha viagem? Passei os documentos, impaciente. Ele pegou e foi até a cabine. Antônio estava com os olhos arregalados.

— E agora, mãe?
— O que tem?
— Ele me viu no banco da frente.
— Qual o problema?
— Só pode depois dos dez anos.
— Diga que você tem dez anos, pronto.

O policial demorou a voltar e aquilo me irritou ainda mais. Desci do carro e fui até ele.

— Licença, senhor. Meu filho vomitou no carro e precisamos chegar o quanto antes ao nosso destino. O senhor poderia me devolver os documentos para continuarmos nossa viagem?
— A senhora foi autuada por excesso de velocidade...
— Sem problema, preciso assinar algo?
— Calma, essa não é a única infração. Tem uma criança no banco da frente do carro.
— O senhor queria que eu fizesse o quê, deixasse ele no vômito do irmão?
— E sua carteira está vencida há mais de um ano.
— O senhor só tem notícia ruim pra me dar? Pra isso que me parou?

Ele achou engraçado. Tinha que aproveitar aquele gancho.

— É só o senhor dizer onde eu assino e depois pago todas essas multas. Só quero mesmo chegar ao hotel antes que fique impossível continuar dentro daquele carro.
— A senhora não pode prosseguir com a carteira vencida.
— Era só o que me faltava. O que vou fazer, então?
— Precisa achar alguém com a carteira válida para conduzir o veículo.

Fácil, muito fácil.

Nesse minuto, Antônio gritou do carro.

— Mãe, o João está chorando.

Fui até o carro e me deu pena do menino. Estava sujo e fedido. Gritei para que o policial viesse até o carro. Tinha tanta urgência na minha voz que ele veio correndo.

— Olha só como está meu filho! Por culpa do senhor, não consegui chegar antes que ele acordasse. O senhor pode me ajudar agora?

— Ajudar como, senhora?

— Me dizendo o que fazer...

Não tinha premeditado aquilo, mas, de repente, veio um choro. Não aquele chorinho, veio choro com soluços mesmo. O policial se aproximou e colocou a mão em meu ombro.

— Calma, senhora.

— Me ajuda, por favor! Preciso limpar meu filho, mas não consigo...

Olha, se tem uma coisa que geralmente funciona é chorar diante de um homem. Por mais bundão que seja, se você pegá-lo de surpresa, com um choro gutural e sincero, ele move o mundo para ajudar. E assim vi o xerife rodoviário fazendo jus ao seu personagem. Ele pegou João no colo e o levou até uma mangueira que tinha ao lado da cabine. Jogou água nele e pediu que fosse pegar roupas limpas no carro. Em dez minutos ele já estava limpo e com roupa nova, e eu me tranquilizei pensando que metade dos meus problemas já estava resolvida. O policial ofereceu um copo de Coca-Cola para os dois e os deixou sentados na cabine. Depois me entregou um pano e um balde com água.

— Tem álcool em algum lugar aqui. Vai limpando que já levo para a senhora.

— Limpando?
— O carro. Não vai limpar?
— Não tem nenhum lava-jato próximo?
— Mesmo que tivesse, a senhora não pode dirigir.
— E como vou embora?
— Se não houver ninguém com o documento válido, o carro pode ser guinchado e depois a senhora pega.
— E a gente fica morando aqui nessa cabine?
— Bom, aí já é problema da senhora.

Sim, era problema meu, e não adiantaria chorar de novo. Peguei o balde com o pano e fui até o carro. Antes de começar, liguei para o Roberto. Não atendeu, claro. Liguei mais cinco vezes, todas sem respostas. Pensei em ligar para a Laura, mas de que adiantava? Ela não dirigia mesmo. Lauro nem pensar. Imagina... no primeiro dia sem ele e já pedindo socorro?

Tinha o Lucas. Não queria envolvê-lo nessas questões familiares, mas era minha única alternativa. Tentaria uma vez: se ele atendesse o telefone, ótimo, senão o policial teria que resolver esse problema que havia criado para mim. Digitei o número e, depois de tocar seis vezes, desliguei. Era sábado de manhã, certamente estava dormindo com alguma gatinha com quem havia saído na noite anterior. Bom, vamos por partes, um problema de cada vez. Abri a porta de trás do carro e o bafo quente misturado com vômito que saiu de dentro quase me fez desmaiar. Tinha mesmo que limpar aquilo? Fui até o porta-luvas e peguei um lenço de papel, com o qual fiz pequenos rolinhos para tampar o nariz. Menos mal. Espalhado pelo banco tinha pequenos perdigotos de diferentes texturas e cores. Parecia que estavam prestes a fermentar no banco de couro quente e se unir novamente na forma de um monstro muito assustador. Olhei para a cadeira de João e concluí que os perdigotos do banco eram o meu menor problema. A cadeira estava imersa numa manta de coisas orgânicas que borbulhavam no ar abafado no carro. Impossível limpar aquilo, não havia possibilidade nenhuma. Com uma coragem extraordinária, consegui soltar a cadeira do cinto de segurança e a joguei para longe. Um problema a menos. Agora era só molhar o pano nojento que o policial havia me dado e passar pelo banco, jogando os perdigotos para fora. Que merda de remédio é esse que eles tomam? O Lauro não pode sair de casa sem me avisar esse tipo de coisa! Molhei o pano no balde, fechei o olho e passei sobre o banco. Repeti quatro vezes o movimento até abrir os olhos. Não parecia mau. Restaram apenas uns miolos de pão mole e sei lá mais o quê caído pelos cantos e no chão do carro, mas concluí que os meninos nem perceberiam. Além do mais, já estávamos tão perto do hotel. Fiquei feliz com aquela conquista. Havia sido muito corajosa. Qual era meu limite agora, se até vômito de filho eu já sabia limpar? Cheia de mim, fui até a cabine. Os meninos estavam vendo televisão e o policial estava sentado em sua mesa.

— Tudo certo? — perguntou assim que entrei. — Não achei o álcool.

— Não precisa, o carro já está limpinho! Obrigada, o senhor foi gentil em me ajudar.

— As multas da senhora estão prontas. É só assinar no final de cada página.

Havia três folhas. Limite de velocidade, menor no banco da frente e carteira vencida. Ok, novidade nenhuma. Assinei e em seguida falei com os meninos:

— Vamos?

Estávamos saindo quando o policial se colocou em nossa frente.

— Já chegou o novo condutor?

— Liguei para todo mundo que podia e ninguém me atendeu. Sábado de manhã também... só você que está trabalhando. A gente faz o seguinte: o senhor me libera e eu prometo que segunda-feira vou ver essa história da minha carteira.

— A senhora jogou o balde e o pano no lixo? — Ele estava olhando para o lixão do lado de fora.

— E as roupas do João, claro. Ninguém mais vai usar aquilo, né?

O policial coçou o queixo.

— A senhora pegue o balde e o pano. Se quiser deixar as roupas de seu filho, não me incomodo. No tanque lá atrás, a senhora pode lavar o pano e pendurá-lo quando estiver limpo. O balde pode ficar embaixo do tanque. Limpo.

— Olha, entendo que não queira ficar sem o balde e sem o pano, mas não vou conseguir fazer isso, não. Vamos fazer o seguinte: peço ao meu motorista para trazer baldes e panos novos para o senhor, que tal?

— O mesmo motorista que vai vir pegá-la?

Estava buscando a resposta quando meu telefone tocou. Lucas! Atendi fingindo tranquilidade e saí da cabine para falar com ele. Expliquei minha situação e perguntei se poderia vir nos buscar.

— Com uma condição!

— Qual?

— Quero passar o fim de semana no hotel com você.

Ui. Já me vi andando de perna aberta o fim de semana inteiro.

— Mas teremos que dormir com os meninos...

Mentira, eu sempre peço dois quartos.

— Sem problema.

Gente, esse cara era louco. De repente, a gente dormia todo mundo junto mesmo, assim não teria aquela ginástica toda.

— Combinado, mas com uma condição também. Pode me trazer dois baldes e uns dez panos de chão novos?

CAPÍTULO 13

Estava sentada na mesa bebendo champanhe e esperando Lucas. Ele estava no quarto colocando os meninos para dormir. Impressionante como em um único dia ele havia conseguido ficar mais próximo deles do que eu, que convivo diariamente há oito anos. Mas tudo bem, cada um com seu talento. Além do quê, acho que a proximidade de idade ajudava. Lucas estava no meio do caminho entre mim e eles, mais próximo deles do que de mim, na verdade. Gente, eu não estava exagerando com um menino tão novo? Assim que pensei nisso, ele apareceu. O cabelo estava solto e a pele bronzeada da tarde que havíamos passado na piscina. Exagero ou não, eu tinha que aproveitar aquilo. Não teve uma mulher no restaurante que não se virou para olhá-lo.

— Dormiram. São muito educados, seus filhos.
— Quando querem, claro. Posso te servir?
— Clarissa e seu champanhe. Um brinde à polícia rodoviária!
— Um brinde a você, Lucas, que nos salvou.

Ele sorriu aquele teclado de marfim. Parecia feliz em ter nos salvado, feliz em ter passado o dia na piscina brincando com dois moleques endiabrados enquanto a mãe lia revistas de economia numa espreguiçadeira. Feliz em estar fazendo parte do meu mundo. Era impossível para mim compreender aquela felicidade. Mas não iria contestá-lo, vai que ele cai na real.

— Vamos pedir?

— Claro.

Enquanto olhava o cardápio, Lucas me perguntou:

— Onde está o Lauro?

— Lauro? Como sabe o nome dele?

— Os meninos disseram. Perguntaram se eu conhecia o pai deles e se sabia quando ele voltaria. Ele viajou para onde?

— Ele não viajou, mas foi isso que disse para os meninos por enquanto. Ele foi morar com a nova namorada.

Lucas me encarou por cima do cardápio por alguns segundos. Talvez estivesse testando minha aparente indiferença. Quando se certificou dela, sorriu.

— Sabia que ficaríamos juntos.

Que frase estranha. Melhor fazer logo o pedido.

— Vou querer a massa. E você?

Ele pediu uma carne e, assim que o garçom recolheu os cardápios, pegou em minha mão. Me esforcei para deixar a mão sob a dele. Parecia que todas as pessoas no salão nos observavam. Todos curiosos com aquela coroa e o garoto. E mais, aquela coroa rechonchuda e o garoto lindo. E indo além: aquela coroa rechonchuda e rica e o garoto lindo e duro. Os clichês eram intermináveis, todos aqueles olhares obscureciam o branco daqueles dentes que sorriam para mim. Mas havia uma garrafa de champanhe na mesa, e rapidamente transformei o desconforto dos olhares sobre nós em um regozijo vaidoso de demonstração de poder. Terminamos o jantar com beijos intensos. E, se demorássemos um pouco mais para ir para o quarto, o show seria ainda maior.

As mulheres que nos viram aquela noite teriam com que sonhar e, se fossem menos hipócritas, viriam me agradecer na manhã seguinte pela quebra da rotina.

Lucas tinha se alojado no quarto ao lado do nosso e eu havia ficado com os meninos. Por mais que quisesse fugir da esfoliação, não tive coragem de colocar todos juntos. Naquela hora, empolgada pelos beijos, pelo champanhe e pela cobiça das mulheres ao redor, achei um absurdo que tivesse pensado em me privar daquele parque de diversões. Lucas me jogou na cama dizendo que faria comigo tudo aquilo que as revistas femininas dizem que as mulheres sonham. Sonhar eu sempre sonhei em ganhar bastante dinheiro e não receber ordem de marido, mas aproveitei sua empolgação e comecei a ensiná-lo o que realmente faz uma mulher feliz na cama. Uma graça seu jeito de aprendiz percorrendo meu corpo, preocupado mesmo em ser um bom aluno. Deus era bom para mim, não podia negar. Lucas esperou eu me recuperar de suas habilidades recém-adquiridas para começar o *crossfit* condizente com seus vinte e quatro anos. Vira de lado, fica de bruços, de quatro, apoia na janela, abre a boca e, enfim, paz. É muita mocidade para mim! Foi tanta ginástica que já podia beber mais uma garrafa de champanhe. Fiz um carinho em seu cabelo e disse que precisava ir para o meu quarto. Ele estava jogado na cama, imóvel. Se eu estava cansada, imagina ele. Me levantei para sair e ele segurou em minha mão.

— Te adoro!

Que fofo, mas melhor eu fugir logo dali. Vai que ele se empolga de novo.

Cheguei ao quarto e enfim pude fazer o que realmente queria: abri uma garrafinha de champanhe do frigobar e liguei a Netflix.

Era quase meio-dia quando consegui sair da cama. Fiquei vendo filme até tarde e fui dormir com a certeza de que acordaria me arrastando na hora em que os meninos se levantassem. Mas, surpreendentemente, ninguém precisou de mim. Telefonei na recepção e pedi um café da manhã no quarto. Já que estavam todos bem sem mim, ficaria escondida no meu canto. Abri a janela. O céu estava muito claro, com borboletas e libélulas voando no canteiro. Os pássaros cantavam entre as árvores e uma breve brisa entrava pela janela trazendo o cheiro de estrume para o quarto. Vida de fazenda não é para mim. Fechei a janela e liguei o ar-condicionado. Melhor assim.

Tomei um banho e logo em seguida chegou o café. Comi lendo as notícias. Depois voltei a me deitar e comecei a ver uma série nova. Enquanto assistia, roçava os pés no lençol e limpava o nariz com os dedos. Tem coisa melhor no mundo do que um momento tranquilo como aquele? Se Lucas se encarregasse dos meninos, o Lauro nem precisaria mais aparecer. Fiquei maquinando aquilo e adormeci. Acordei com Lucas me beijando. Cheirava a cavalo. Involuntariamente, fechei a perna.

— Bom dia! Não vai sair da cama?

— Onde estão os meninos?

— Passamos a manhã andando a cavalo. Eles não quiseram vir te acordar, disseram que fica brava.

— Imagino que tenham dito coisas piores sobre mim.

— Nada que te deixasse menos adorável.

Alguém me explica o que é isso? Uma pegadinha?

— Vamos almoçar? Os meninos já estão no restaurante.

— Ainda preciso me arrumar.

— Vou te esperar aqui, quero te ver trocando de roupa.

Que fetiche estranho aquele garoto tinha em um corpo mais rodado! Mas cada um com seus problemas. Ele havia se ocupado a manhã inteira com os meninos, era justo que lhe concedesse o prazer de olhar minhas formas roliças se vestindo. Tentei dar alguma elegância aos meus movimentos enquanto tirava a camisola e colocava um vestido. Ele observava da cama, com as mãos apertando um travesseiro. Eu sabia que por baixo da calça jeans ele estava pronto para a guerra; ainda bem que os meninos estavam nos esperando. Aquele cheiro de cavalo podia dar-lhe um vigor impróprio para pessoas sedentárias como eu, sem contar que demoraria uma semana para me recuperar da noite anterior.

Saímos do quarto e encontramos os meninos cutucando uma teia de aranha no jardim, ao lado do restaurante.

— Lucas, vem ver o que a gente encontrou!

Havia uma libélula presa na teia. Ainda estava viva.

— Você acha que a gente deve salvar ela?

— Claro, vamos salvá-la — Lucas disse, já procurando mais um graveto.

— Não, deixe ela aí. A aranha tem que comer, fez a teia para isso — eu disse.

— Como faremos para soltar ela? — Antônio perguntou a Lucas.

— Vocês não vão soltar a libélula!

— A gente tem que soltar, mãe! Você mesma ouviu o que o Lucas disse.

— Acho que tirar o baço não fez muito bem pra sua cabeça, Antônio. Você escutou o que eu disse? Não vai soltar e pronto!

Antônio destruiu a teia da aranha. Tanto ela quanto a libélula ficaram presas no pedaço de pau que ele jogou longe. Seus olhos estavam vermelhos de raiva e choro.

— Eu odeio você! — E saiu correndo, seguido por João. Lucas veio até mim e colocou a mão em meu ombro.

— Tudo bem?

— O Lauro saiu de casa dizendo que iria me ensinar a ser mãe. Mas ele se esqueceu de ensinar esses meninos a serem filhos! E essas ceninhas familiares me irritam!

— Calma, vou lá falar com o Antônio.

— Não tem que falar nada com ele. Vamos almoçar. Eles que saíram correndo, eles que se virem.

Saí andando e só percebi que Lucas não estava atrás de mim quando me sentei à mesa. Por que os homens têm essa mania de corporativismo? Deixe o menino fazer birra, deixe-o passar fome. Eles estavam precisando criar um pouco mais de caráter. Não ia beber, mas aquilo tudo havia me deixado tão irritada que acabei pedindo uma garrafa de champanhe. Já tinha bebido uma taça quando os três mosqueteiros entraram pelo salão. Antônio parecia mais calmo, mas, quando falava, se dirigia apenas a Lucas, que tentou por um tempo me trazer para a conversa; quando percebeu que eu não fazia esforço nenhum, desistiu. Passei o almoço olhando o celular enquanto os três conversavam. Assim que terminou de comer, Antônio perguntou a Lucas se podia ir brincar na sala de jogos.

— Pergunte pra sua mãe.

Antônio olhou para mim, mas não disse nada. Eu tampouco tirei os olhos do celular. Ele se levantou e saiu do restaurante. João foi atrás.

— Pelo que entendi, ele ficou triste de você ter falado sobre a operação daquela forma. Ele tirou o baço?

— Tirou. Ficou inventando com o pai essa história de *parkour*, caiu e rompeu o tal do baço.

— E teve que tirar?

— Já está tudo bem, não tem por que ficar fazendo drama com isso. Parece o pai dele.

— Imagino que ele ainda esteja assustado com isso.

— Olha, Lucas, vou ser sincera com você. Meus filhos foram criados pelo Lauro porque eu nunca tive tempo de estar com eles. Acho que ele foi um pai muito bom, e eu sempre serei uma péssima mãe. Mas os meninos vão ter que aprender a se virar comigo, porque o pai deles foi embora. Então, se o Antônio ficar magoado com qualquer coisa, ele vai se cansar de chorar, mas essa é a mãe que eles têm.

— Tá tudo bem, Clarissa. — Ele pegou em minha mão. Por um momento, me deu vontade de chorar. Puxei-a e com ela chamei o garçom.

— Peça para fecharem nossa conta que vamos embora em meia hora.

— Obrigado pelo fim de semana. Adorei conhecer seus filhos.

Era claro que tinha pegado pesado com Antônio. A culpa nem era dele. Lucas que disse para libertar a libélula. Lauro falaria a mesma coisa. Ninguém via que assim não estavam preparando Antônio para o mundo? Aí depois ele vem e coloca sua mão grande sobre a minha, querendo me desestruturar. Eu queria me apaixonar, não fazer terapia de família, era importante deixar isso claro.

Lucas preferiu dirigir até minha casa em vez de eu deixá-lo antes. Os meninos pediram para que ele subisse.

— Lucas precisa ir para a casa dele.

Ele confirmou, explicando que acordaria às quatro da manhã para ir ao Ceasa.

— O que é Ceasa? — perguntou João.

— Um lugar onde se compram frutas, legumes, entre outras coisas.

— Posso um dia ir com você?

— Eu também quero!

Com que rapidez os meninos trocavam uma escalada por uma manhã de feira!

— Olha, Lucas, seu táxi chegou.

Ele passou a mão pelos cabelos dos meninos.

— Vou combinar com sua mãe de levar vocês!

Depois veio até mim e me deu um beijo no rosto, seguido da sua piscada de olho. Os meninos observaram tudo, mas não disseram nada.

— Cuidem dela, tá bom?

Pouco tempo depois de entrarmos em casa, Lauro ligou. Só conversamos o protocolar "oi-tudo-bem?". Passei o telefone para Antônio. Ele contou sobre o fim de semana no hotel fazenda, falou do passeio que fizeram a cavalo e que tinha visto uma libélula presa numa teia de aranha. Lucas havia dito para salvar, mas a mãe não deixou. Lauro deve ter perguntado quem era Lucas e, para minha surpresa, ouvi Antônio dizendo: "O namorado da mamãe! Ele é muito legal!". Claro que Lauro pediu para falar comigo! Agora queria investigar, ir bem além do cumprimento protocolar.

— Como assim, seu namorado, Clarissa?

— Como assim o quê?

— Você já colocou os meninos para conhecer outro homem?

Outro menino, eu ia dizer. Mas achei melhor não.

— Eu podia até explicar a situação pra você, Lauro. Mas estou cansada agora e amanhã tenho uma reunião muito importante.

— Você precisa ser cuidadosa com eles, pra não fazer mal pra cabeça deles.

Ele estava dizendo isso mesmo? O cara sai de casa para morar com a buça da academia e continua tentando me manipular com sentimentos de culpa?

— Só isso?

— Eles fizeram a lição?

— Não sei, a lição é deles.

— Como assim, Clarissa?

— Lauro, Antônio tem oito anos! João, seis! Quem tem que saber da lição são eles! Fala aqui com o João.

Claro que não brigou com eles por conta da lição; se sentia culpado por não ter passado o fim de semana ao lado dos filhos cobrando que fizessem o dever. Quando desligaram o telefone, perguntei:

— Quem disse que Lucas é meu namorado?

— Ele disse.

Pensei em ligar para Lucas e tirar satisfação, mas desisti. Tinha uma reunião importante logo pela manhã e não estava a fim de me indispor. Além disso, qual era o problema? Podíamos dizer que éramos namorados. Na verdade, não fazia diferença nenhuma.

Depois que falaram com o pai, os meninos foram jogar *videogame* na maior cara de pau. É claro que esperavam que eu os pegasse pela mão e os levasse até o dever de casa. Talvez até esperassem que eu desse as respostas dos exercícios que achassem difíceis.

— Boa noite, meninos. Qualquer coisa, estou no quarto.

— Mas você não vai colocar a gente pra dormir?

— Como assim, colocar pra dormir?

— Escovar o dente, colocar o pijama. Tem o dever também.

— Vocês conseguem sozinhos. Boa noite.

CAPÍTULO 14

MANDATO. NÃO ERA OBRIGADA A LIDAR COM ESSA PALAVRA até o Miguel resolver infernizar a minha vida. Mandato é o seguinte: você chega à reunião toda simpática, trata a pessoa e sua empresa como se fossem a última bolacha do pacote e se esforça para mostrar seriedade em tudo que diz, além de fingir um completo domínio sobre o mundo dos negócios. Se for eficiente, bingo! Leva o *deal* e engrossa o bônus do fim do ano. Mas, no meu caso, estava mais preocupada em manter a minha cadeira.

A semana começou com um encontro com um possível cliente que, se fechasse negócio, me colocaria mais perto daquele número improvável que me impuseram como meta. A família havia decidido vender uma empresa de seguro de saúde e todos os bancos estavam atrás dele. Resolvi levar Eduardo comigo, já imaginando que ele pudesse me ajudar nessa parte de "última bolacha do pacote". Ele adularia a família e eu entraria com a parte técnica.

Chegamos ao seu escritório e nos encaminharam para uma sala de reunião onde ficamos cerca de quarenta minutos aguardando. Eu estava irritada. Eduardo, calmo, muito calmo. Tão calmo que parecia que seu único objetivo era esfregar na minha cara que o meu tempo de glória já tinha passado, que agora estava enferrujada e a melhor coisa a fazer era me aposentar. Eduardinho, Eduardinho, você ainda não viu nada. Por fim, um senhor de mais de setenta anos entrou na sala acompanhado de um filho. Apertou nossa mão, não pediu desculpa pelo atraso e com gestos sugeriu que nos sentássemos. Hora de quebrar o gelo, e Eduardo começou a falar. Tinha que admitir que a ignorância dele sobre o mercado era do tamanho de seu talento para começar uma conversa e conquistar a atenção de um cliente. Com toda a naturalidade, ele conseguiu engatar um assunto sobre cavalos. Sem dúvida tinha feito a lição de casa e sabia que o senhor era louco por cavalos, mas foi tudo tão bem articulado que, quando se mostrou surpreso por saber que ele tinha um haras, não soou falso. Os dois começaram a falar das raças. Mangalarga, árabe, crioulo, puro-sangue inglês. Eu me lembrei imediatamente de Lucas indo me acordar no dia anterior cheirando a cavalo. Minhas pernas voltaram a se fechar, tensas. Aquele garoto tinha que entender que eu não era nenhuma líder de torcida. Ok, já não vou mais contestar o fato de ele querer comer uma coroa rechonchuda, mas ele precisava pegar mais leve, senão um dia eu acabaria no hospital.

— Não é, Clarissa? — Eduardo tentou me trazer para a conversa justo no momento em que eu estava a quilômetros de distância. Mas sem problema, pegaria o fio da meada.

— Sabe que outro dia em casa, de madrugada, eu tinha perdido o sono e, passeando pelos canais da televisão, vi um programa leiloando cavalos ao vivo. Achei aquilo surreal. Quem fica acordado de madrugada comprando cavalos pela televisão?

— Eu fico.

Opa! Mudança de rumo. Tentei uma manobra de emergência:

— Achei sensacional. Até pensei em dar um lance. Mas, quando fui pegar o telefone para ligar, o leilão tinha acabado e começou um daqueles programas evangélicos estranhíssimos em que um pastor fica exorcizando a pessoa. Que teatro! Será que tem gente que acredita nisso?

E acabei batendo no muro. A reunião acabou ali. Só entendi o que tinha acontecido quando estava no táxi indo para o banco, ao ouvir de Eduardo que o tal senhor era evangélico. Adeus, bilhões. Meu erro foi tão grosseiro que a única saída era colocar a culpa em Eduardo.

— Você quer acabar comigo, Eduardo? Bem se vê que está tramando com Miguel!

— Por quê, Clarissa?

— Como não me avisa que o cara é evangélico?

— Você não me perguntou nada sobre ele, achei que já tivesse se informado.

— Não tenho que te perguntar nada! Você que tem que me falar. Te pago pra isso. E agora? Vai ficar feliz quando o Miguel estiver dando ordens pra você, aquele imbecil?

Fui até o banco rugindo com Eduardo. Ele, vaselina que era, não se abalou. Devia estar rindo por dentro da cena que proporcionei. A piada do mês que ele contaria pelos quatro cantos. Sentei em minha mesa, arrasada, e passei o dia com a cara enfiada na Bloomberg. Não me levantei nem para almoçar. Se eu me aposentasse, o que faria da vida? Lembrei de uma *Vogue* que mostrava a Madonna dando milho para galinhas. A casa ficava perto de Londres. Casa, não, castelo. Ela morava com seu marido e cuidava dos filhos, além de dar comida para as galinhas, claro. Prefiro morrer. E se tentasse carreira em outro banco? Com minha idade e minha arrogância, ninguém me contrataria. Não queria me deixar abater. Passei a tarde repetindo para mim mesma que o evangélico não era o único possível *deal* do mundo. Ok, tinha dado uma bola fora. Tinha mesmo era chutado a bola para fora do estádio, para ser mais exata. Mas quem nunca errou assim? Eu, eu nunca errei assim!

* * *

Já eram oito da noite quando, por fim, me levantei da mesa. Estava com fome e cansada. Tinha três ligações de Lucas, duas de Laura e uma de Lauro. Não retornei, e nem precisava mesmo. Virei o carro na garagem e vi Lauro sentado na portaria.

— Fui ver os meninos e eles estavam com um cara que nunca vi na vida.
— Que cara?
— O tal do Lucas.
— O que o Lucas está fazendo em casa?
— Cozinhado. Os meninos nem fizeram a lição, em vez disso estavam cozinhando com ele.
— Cadê a Laura?
— Estava lá, ajudando.
— Lauro, você não disse que estava viajando? Como aparece assim do nada? O que falou para os meninos?
— Que vim pegar mais roupa para viajar de novo.
— Falou isso? Você tem certeza de que essa mulher está te fazendo bem?
— Olha quem fala. Você coloca um homem dentro de casa e vem falar de mim. Quantos anos ele tem, Clarissa?
— Lauro, isso não vai dar certo.
— Claro que não, Clarissa. O cara é um garotão!

— Essa conversa aqui não vai dar certo. Vou subir.

Ele ainda murmurou três ou quatro coisas. Achei engraçado que Lucas o tivesse deixado tão abalado. Se fosse um senhor baixinho, com certeza não estaria tão incomodado. Cheguei em casa e a mesa estava arrumada. Laura veio me dizer toda sorridente que o jantar estava pronto.

— Cadê os meninos?

— Estão no quarto com o seu Lucas.

Fui até lá evitando fazer barulho e fiquei observando sem que me notassem. Lucas estava deitado no sofá jogando *videogame* enquanto eles faziam o dever de casa. Estava de calça jeans e blusa quadriculada, como se tivesse saltado de um filme americano. O cabelo preso no coque. A pele ainda estava bronzeada do fim de semana e, em contraste, os pelos do braço estavam mais dourados. E ainda tinha aquele sorriso. Será que sorriu para Lauro? Era óbvio que Lucas o deixaria perturbado. Que ele estivesse com uma garota nova de bunda e peito empinado, era natural. Agora, eu estar com um Apolo daqueles, não! Nós dois éramos coroas com pessoas mais jovens, mas, claro, ele era homem e eu, mulher; nesse caso, só a idade do meu namorado seria contestada.

Bati na porta. Lucas pulou do sofá e veio até mim. Os meninos só olharam para a porta e voltaram a fazer o dever.

— Fizemos o jantar, eu e meus ajudantes.

Piscou. Desconfiava que eu ficaria puta com aquela invasão, ainda mais que Lauro resolvera aparecer. Mas não me importei. Além de cuidar dos meninos, ainda esfregou na cara de Lauro sua beleza irlandesa.

— Vou me trocar.

Quando saí do quarto, o jantar foi servido. Eles tinham feito um macarrão à bolonhesa. Lucas disse que os meninos que haviam escolhido o cardápio. Ele perguntou como fora meu dia.

— Como é o seu trabalho, mãe?
— Como é meu escritório?
— Não, como você trabalha?

Expliquei em linhas gerais. Nunca havia falado sobre isso com os meninos. Na verdade, com nenhum dos três. Me fez bem falar um pouco de mim. Lauro tinha tanta raiva das minhas ausências que considerava meu trabalho um tabu, o inferno que me roubava da família, então nunca se interessou pelo que eu fazia. Os meninos o imitavam, claro. Contei da reunião, disse que foi minha maior gafe profissional.

— O que é evangélico? — perguntou João.
— É uma religião — explicou Lucas.

O macarrão estava uma delícia. A cena da família perfeita. Fiquei com pena de Lauro. Seria bom se ele estivesse lá também, afinal, essa mesa de jantar com todos nós comendo juntos era a sua ambição de vida. Ao menos era o que passava com seus telefonemas diários querendo saber se eu chegaria a tempo de comer com eles.

CAPÍTULO 15

As coisas no banco haviam fugido completamente do meu controle. A cada reunião que ia, ficava mais claro que eu estava velha e obsoleta. Minhas piadas não funcionavam mais. O mundo havia se tornado tão politicamente correto que piadas eram sinal de intolerância, preconceito ou sexismo. E meu jeito assertivo de dizer o quanto éramos bons no que fazíamos soava apenas arrogante. Minha equipe não ajudava muito, estavam se divertindo ao ver meu navio afundar. Eu me refugiava nos números cada vez mais, estudando de maneira compulsiva o mercado. Se fosse obrigada a abandonar minha cadeira, deixaria tudo redondo, para ficar bem clara a cagada que estavam fazendo em colocar o Miguel em meu lugar.

O RH não havia desistido do *coach* e de vez em quando enviava um novo profissional para me conhecer. A todos eu explicava que já estava sendo acompanhada de outro profissional e que não dispunha de mais tempo em minha agenda. Só não dizia que era um profissional do ramo da culinária que não tinha nem trinta anos e pelo qual eu estava me apaixonando. Se bem que não haveria problema nenhum se dissesse a verdade. Era só mostrar uma foto de Lucas; impossível não concordarem que nada faria de mim uma pessoa melhor do que um caso de amor com um homem daqueles.

Um dia a Regina me ligou, haveria um jantar em sua casa. Já se passara um bom tempo desde meu telefonema, nem achei que fosse me retornar. Ela pediu desculpas pela demora, disse que tinha ficado mais tempo do que esperava fora do Brasil. O jantar seria para um embaixador, e com certeza eu conheceria muitas pessoas interessantes. Me animei. Estaria próxima de pessoas com as quais meus discursos e piadas sempre funcionaram, o pessoal do dinheiro antigo, que sabia se divertir desde criança e não trazia aquele ar sério e carregado dos novos-ricos. Saí do banco e fui para casa me arrumar. Lucas estava lá, tinha ido fazer a lição com João, um trabalho sobre a Inglaterra. Ele havia morado em Londres e se prontificou a ajudar quando João comentou sobre o dever. Na verdade, semanalmente ele achava um motivo para passar em casa. Eu e os meninos estávamos ficando tão habituados à sua presença que, quando ele não aparecia, sentíamos sua falta. Sem falar em Laura, que ao lado de Lucas era só sorriso. Será que Lauro havia imaginado que seria tão facilmente substituído?

Cheguei e fui direto para o quarto me arrumar. Estava me maquiando quando Lucas bateu na porta e se surpreendeu ao me ver arrumada.

— Aonde vai?

— Tenho um jantar na casa de uma conhecida.

Ele fechou a cara no mesmo minuto.

— O que foi?

— Tem um jantar e não vai me convidar?

— É de trabalho, um jantar superformal. Você vai se aborrecer...

— Como pode falar por mim?

Nem acreditei que ele estava enfezado por ciúmes. Se ele soubesse a chatice que eram esses jantares, daria graças a Deus por não ter sido convidado. Lauro passava a noite emburrado quando era obrigado a ir.

— Vamos comigo, então — eu disse, passando rímel. — Mas tem que colocar outra roupa...

Ele abriu seu sorriso e me beijou.

— Vou falar com o João que terminaremos amanhã e vou pra casa me arrumar. Não demoro. Você passa pra me pegar?

Lucas me olhou surpreso quando chegamos à casa de Regina. A casa tinha muitos convidados e estava mais para uma festa dançante do que um jantar cheio de formalidade.

— Aqui que iria me aborrecer?

— Não imaginei que fosse uma festa, esperava uma mesa com pessoas sentadas.

— Vamos procurar o bar.

Ele pegou minha mão e fomos para o jardim. Sua passagem pelas pessoas era um acontecimento, um modelo da Armani percorrendo a passarela, com a roupa social contrastando com a barba e o cabelo preso em coque. Sua imagem era tão deslocada daquele ambiente que parecia ser um desses galãs contratados para dançar em festas de debutantes. E, nesse caso, a aniversariante era eu, que, contra a minha vontade, havia virado a estrela coadjuvante da festa.

No bar, enquanto ele pedia drinques para nós, encontrei o Junqueira. Ele era dono do primeiro *deal* que eu havia fechado e o tinha conhecido na casa da Regina. Tínhamos nos encontrado na semana passada e, como sempre, rimos bastante.

— Clarissa! Faz tempo que não te vejo por aqui.

— Tinha perdido o contato com a Regina, mas voltamos a nos falar.

— Lauro está aí?

Junqueira gostava de Lauro, ele era ciclista e sempre ficavam conversando sobre viagens e esporte. A condição para que Lauro me acompanhasse a um lugar daqueles era se Junqueira também fosse, a única pessoa com quem ele dizia ter assunto. E era verdade. Ficar ouvindo sobre helicópteros e barcos não era nada divertido, ainda mais para Lauro, que não tinha por hábito se vangloriar. Quando ia dizer que tinha me separado de Lauro, Lucas chegou com dois drinques nas mãos.

— Você vai gostar deste, experimente. Especial pra minha amante de champanhe.

Lucas me deu um beijo. Não percebeu que eu estava conversando com Junqueira.

— Lucas, esse é o Junqueira.

Lucas se virou para cumprimentá-lo. Junqueira tentava disfarçar sua surpresa.

— Prazer, Lucas. A bebida está boa?

— O senhor quer uma também?

Ainda bem que era Junqueira ali, pois, se fosse outro, aquele "senhor" seria uma alfinetada no seu orgulho de macho alfa e isso sairia bem caro para mim.

— Não precisa me chamar de senhor, meu jovem. Obrigado, gosto de beber uísque.

Lucas era bom com pessoas, eu tinha que admitir. Quando me dei conta, ele e Junqueira conversavam animadamente sobre uísques e bares ingleses. Vi Regina perto da piscina em uma roda. Pedi licença aos dois e fui cumprimentá-la, afinal, estava ali em uma missão. Ela foi muito simpática. Agradeceu que eu estivesse ali e tornou a pedir desculpas por ter demorado para me convidar para sua casa. Pegou em minha mão e, com um olhar que misturava pena e consolo, perguntou como eu estava. Eu disse que bem; ela fez que sim com a cabeça, mas não tirou o olhar de pena do rosto.

— Você parece bem. Não deve estar sendo fácil lidar com o abandono de Lauro... Mas vamos falar de coisas boas. Quero te apresentar uma pessoa! Deixa eu ver onde está...

Ela ficou olhando ao redor, sem sucesso. Uma amiga chegou para cumprimentá-la. Eu disse que ficaria ao lado do bar, que ela poderia me encontrar por lá. Lucas e Junqueira conversavam sobre comida.

— Lucas é *chef*, Clarissa?

— Nos conhecemos em um curso de culinária. Ela era a estrela do curso! — disse Lucas.

— Ah, Lucas, não conhecia esse seu lado irônico.

— Estrela por quê? — indagou Junqueira.

Lucas estava começando a contar sobre os ovos quando Regina apareceu.

— Clarissa, eu o encontrei, venha cá. Você me empresta a Clarissa um pouquinho? — disse virando-se para Junqueira e tomando um susto ao ver Lucas.

— Seu filho, Junqueira? — ela perguntou com a voz embargada. Ficamos todos em silêncio, Lucas e Junqueira sem jeito e eu absorta em descobrir naquela voz embargada a dimensão real do que Lucas causava nas mulheres.

— Não tenho idade para ter filho desse tamanho! — Junqueira falou, tentando descontrair.

— Esse é o Lucas, meu namorado.

Lucas beijou a mão de Regina e disse que a festa estava ótima. Ela parecia abalada. Fixou o olhar no sorriso de Lucas e depois se virou para mim, me olhando de cima a baixo. Agora parecia me ver de verdade, nada mais daquela pena fabricada com a qual se sentia superior a mim, a mulher abandonada.

— É... esqueci o que ia dizer... Ah! Sim... Ia te apresentar ao Rico, ele estava ali agora mesmo, mas já não está mais. Quando o vir de novo, te chamo.

E saiu andando. Mulher é um ser estranho mesmo. Os homens são uns bobos, sim, mas mulheres, temos que admitir, são umas loucas. Como ela pode pular da compaixão para a raiva só de ver Lucas sorrindo? Imagine se eu falasse dos jantares que ele faz para me esperar, acho que ela me afogaria na piscina. Tentei prestar atenção no que Junqueira e Lucas conversavam, mas aquele nome ficou martelando em minha cabeça. Rico. Era exatamente isso que procurava e a Regina tinha que me ajudar. Quando já havia bebido champanhe suficiente, me aproximei da anfitriã:

— Regina, querida! Conseguiu localizar seu amigo?

— Por que quer conhecê-lo? Você já está acompanhada...

Não tentou disfarçar seu rancor. Já que era assim, também não disfarçaria meu real propósito.

— Estou atrás de clientes, Regina, não de namorado.

Ela deu de ombros.

— Com um namorado desses, Clarissa, você não precisa de nada.

Até parece que dá para pagar as contas no fim do mês com a beleza do namorado. Mas nem adiantava explicar isso a ela, que nunca soube o que é pagar conta. Fui até Lucas, indignada.

— Vamos embora?

— Aconteceu alguma coisa?

— Nada, já ficamos o suficiente.

— Vamos só dançar essa música primeiro.

Ele tirou o copo de minha mão e foi levá-lo até uma mesa. Claro que eu não queria dançar, mas vi a Regina em uma roda de amigas me observando. Se era isso que queriam, eu lhes daria o show completo. Lucas me conduziu pelo salão, a debutante dançando a valsa com seu galã de novela e todos os convidados olhando. Fechei os olhos para não ver quem nos observava. Se eu ainda tinha algum mérito como banqueira, ele estava se esvaindo ali, enquanto rodava nos braços daquele Apolo numa mansão do Jardim Europa. Ninguém me ajudaria, ninguém me daria crédito, enquanto estivesse ao lado de Lucas. E quer saber, foda-se. A música acabou e Lucas e eu nos beijamos no meio da pista antes de partir.

CAPÍTULO 16

Conversava com outras três pessoas no saguão do hotel onde o banco estava promovendo uma convenção quando Miguel se aproximou. Claro que ele deixaria Buenos Aires para vir para a convenção, o evento mais importante que o banco realiza, no qual palestrantes falam sobre temas relacionados a política, economia e sociedade para nossos clientes e parceiros. Ele entrou em nossa roda e começou a participar da conversa. Como todos ali sabiam da guerra que ele havia iniciado pela minha cadeira, o desconforto foi geral. Miguel estava muito sorridente e solícito, mas, mesmo assim, todos se dispersaram minutos depois de sua chegada. Ele veio atrás de mim.

— Clarissa, quero falar com você.

— Pode falar — eu disse, impaciente.

— Soube que está sendo difícil conseguir novos mandatos.

— Seus informantes te atualizam bem das coisas.

— Queria te dizer uma coisa que nunca disse. Admiro você e seu trabalho. Se acontecer de você deixar de ser a *head* da área, eu quero que fique na equipe.

Foi a coisa mais deslavada que ouvi na vida. Ele teve coragem de dizer tudo isso com ar de humildade, tentando dar veracidade ao seu teatro.

— Miguel, você é a pessoa mais dissimulada que conheci.
Continuei andando e fui até o banheiro para lavar o rosto. Minhas bochechas queimavam de tanta raiva. Em pouco tempo começaria a palestra que eu mais queria ver, e precisava me recompor. Estava no banheiro quando me ligaram da escola. Antônio tinha brigado com outro garoto e arremessado o grampeador da professora em cima dele. Queriam que eu fosse lá conversar com a coordenadora.

Mas não vou mesmo!

— Avise que estou em uma reunião de trabalho e que não posso me ausentar. Depois minha secretária liga marcando um horário, ok?

A menina me explicou que Antônio não poderia voltar para a sala e que era preciso ir pegá-lo.

— Se virem com ele, não é pra isso que eu pago a escola?

Era só o que me faltava, sair da convenção e deixar Miguel sozinho ali circulando com potenciais clientes. Às seis da tarde, terminariam as palestras e eu iria embora. Laura tinha ido para a casa dela aquele dia e, já que eu precisaria ficar com os garotos, aproveitaria e conversaria com Antônio. Lauro bem que poderia acabar com aquela palhaçada de viagem, assumir a buça da academia e voltar a cuidar dos filhos antes que eles saíssem de vez do controle.

Cheguei em casa louca para tomar um banho e relaxar um pouco antes que os meninos voltassem da escola. Mas, para minha surpresa, dei de cara com Lucas e Antônio no quarto.

— O que estão fazendo aqui?

Os dois me olharam com cara de reprovação. Lucas às vezes ficava igual a Lauro.

— Antônio me ligou da escola, pediu que fosse até lá.

— Você? Por quê?

— Precisava que alguém o levasse para casa.
— O que você aprontou, Antônio?
O garoto estava mudo.
— Ele contou que o menino ficava atrás dele dizendo que era retardado. Quando viu que estava circulando um desenho com o nome dele escrito "retardado", atirou a primeira coisa que viu. Era um grampeador, e abriu o supercílio do menino. Sete pontos. Podia ter pegado no olho.
— O garoto mereceu também. Acha que vai ficar zoando os outros e passar ileso? Isso aí, Antônio, tinha que se defender.
Os dois me olharam surpresos. Antônio pareceu aliviado, já Lucas ficou indignado.
— O menino quase perde a visão, Clarissa!
— E você quer que eu fale o quê?
— Você tem que conversar com ele, explicar que isso não se faz...
Respirei fundo. Ao menos Lauro se encarregava dessa parte.
— Olha, Antônio, estou começando a achar que retiraram um pedaço do seu cérebro junto com seu baço. E se o menino ficasse cego?
Os dois me olharam surpresos de novo. Lucas ainda mais indignado. Mas o que ele queria de mim, afinal? Não foi ele que disse que eu tinha que mostrar reprovação ao menino? Antônio começou a chorar.
— Te odeio — disse, baixinho, e logo depois começou a gritar e a quebrar as coisas no quarto. Lucas o segurou à força. Que linda cena familiar. Onde estava com a cabeça quando decidi ter filhos?
— Antônio, pare com isso! — ordenei.
— Sai daqui — ele gritou, preso nos braços de Lucas.

Eu saí. Precisava mais do que nunca daquele banho. Fiquei um longo tempo na banheira e adormeci. Acordei com Lucas entrando.

— Que horas João chega da escola?
— Quase sete, por quê?
— Já são oito e ele não chegou.

Pedi a Lucas que pegasse meu celular e liguei para Roberto.

— Ele tinha uma festa, lembra? A senhora disse que era perto de onde estava e que iria buscar...

Claro que não me lembrava. Lucas me olhava com preocupação. Mais um pouco e começaria a chamá-lo de Lauro.

— Ele vai dormir na casa de um amigo, tinha me esquecido. Pode me dar licença agora?

Lucas continuou me olhando com aquele olhar insuportável. Perdi o controle. Queria que ele fosse embora, não precisava de outro homem julgando minha incompetência para ser mãe.

— Vá embora, Lucas! Não tem dia que chego em casa agora e não te vejo aqui. Já estou de saco cheio disso!

Sabia que havia exagerado, mas já estava de saco cheio daquilo tudo. Laura que não me viesse mais com aquele pedido de ir dormir na casa dela e me deixasse sozinha naquela situação. E Lucas, em vez de ficar enfiado em casa me enchendo o saco, podia ir cuidar da vida dele. E lá se foi meu *top model*, meu *personal chef*. Mas eu não tinha tempo para pensar naquilo, precisava ir correndo pegar João!

Na manhã seguinte, Antônio começou uma guerra declarada em relação a mim. João, claro, seguiu o irmão. Acordaram dizendo que não sairiam do quarto. Ok, por mim sem problemas, já estava de saída mesmo e Laura já tinha chegado para lidar com os dois. Eu estava em uma reunião de área quando Laura ligou dizendo que os meninos não queriam ir para a escola. Respondi que passaria em casa.

Os meninos estavam almoçando quando cheguei. Laura não tinha avisado que eu iria, eles se calaram assim que me viram. Sentei-me na frente de Antônio.

— Laura, faça meu prato que vou comer com eles.

Fiquei quieta por um tempo, a velha técnica de amaciar um começo de conversa, ainda mais com dois moleques ainda despreparados para a selva da vida. Comi um pouco e, pousando o garfo no prato, falei:

— Vocês não querem ir para a aula?

— A gente não vai para a escola enquanto o papai não voltar.

— Já falaram isso pra ele?

— Já.

— E ele?

Os dois ficaram quietos.

— Ele vai voltar?

Foi João que acenou negativamente.

— Ele disse que está morando em outra casa... — Antônio começou a chorar. João, claro, o imitou. Deixei que chorassem até eu acabar de comer.

— Eu sei que isso é difícil pra vocês, não ter mais o pai e a mãe juntos. Mas a vida nem sempre é fácil, vocês têm que se acostumar com isso. Agora ela sempre pode ficar pior. Se começarem com essa história de não ir mais para a escola, por exemplo, vocês não vão conseguir um trabalho quando crescerem. Aí vão ficar pobres, não vão ter casa, talvez não tenham nem o que comer. Porque, para qualquer trabalho, mesmo que seja para ser faxineiro, precisam acabar a escola.

João ficou com o olho arregalado. O nariz de Antônio estava escorrendo e ele limpava em sua camisa.

— O Lucas não pode vir morar aqui?

— Claro que não, Antônio!

Queriam alguém que os protegesse de minhas bruxarias, claro.

— A Laura vai passar a dormir toda noite aqui, tá bom? Agora vão se arrumar que o Roberto está esperando para levar vocês para a escola.

Os dois se levantaram sem protestar.

— Eu sei que sou uma mãe difícil, mas não encho o saco de vocês se souberem fazer suas obrigações. E podemos ter bons momentos juntos... Laura! Avise ao Roberto que os meninos estão se arrumando!

Já que as coisas estavam indo tão bem, resolvi ligar para Lucas e balançar uma bandeira branca. Ele atendeu no segundo toque:

— Quer jantar? Passo pra te pegar quando sair do banco.

Ele aceitou, claro. No jantar, chorou. Eu estava boa naquilo, em fazer crianças chorarem. Lucas disse que estava apaixonado por mim e que pensar que talvez não tivéssemos futuro o estava fazendo sofrer muito. Fiquei um tempo quieta, olhando para ele enquanto tomava minha taça de champanhe. Seus olhos umedecidos estavam mais verdes. Será que ele não tinha noção de quanto era bonito? Ele chorava ao mesmo tempo que roçava o pé em minha perna por baixo da mesa.

Pensei nos meninos. Lauro disse que me ensinaria a ser mãe, mas se esqueceu de me dizer que até então só tinha ensinado os meninos a serem uns fracos. Porque não via em meus filhos nenhuma força. Eram duas crianças mimadas que esperavam que papai e mamãe lhes dessem tudo. E se fossem contrariados, ficavam revoltados, queriam gritar por aí que mamãe não havia feito o que queriam! Imagino que todos os seus amigos fossem príncipes que nem eles, com aquelas mães que repetiam incessantemente "meu filho!".

E Lucas, o que queria de mim? Se quisesse uma mãe amorosa para abraçá-lo nos momentos difíceis, ele já teria percebido àquela altura do campeonato que não seria eu; se estivesse buscando uma mãe para seus filhos, também estava claro que não era eu, muito menos uma companheira para sair pelo mundo, fazer algo selvagem e bater palmas para o pôr do sol. Nem para fritar um ovo com ele eu serviria. O que queria comigo, afinal? Abri a boca para fazer essa pergunta e, para minha surpresa, o que saiu foi:

— Quer morar comigo?

Em seguida, virei o copo de champanhe como se pudesse trazer as palavras de volta para o lugar improvável de onde saíram.

CAPÍTULO 17

―

Passei dias remoendo aquela frase que eu havia dito com a taça de champanhe na mão: "Quer morar comigo?". Toda manhã, quando Lucas acordava enrijecido, eu pensava por que havia dito aquilo. Enquanto o observava vestindo sua calça jeans e blusa quadriculada, quando entrava na garagem e via sua bicicleta parada, nos dias em que me esperava com um jantar especial e eu estava sempre atrasada. Remoía as palavras, mas não voltava atrás. Não porque ainda esperava que a paixão fizesse de mim uma pessoa melhor. Não, já não tinha mais essa ilusão. Na verdade, vinha aprimorando meu péssimo humor no banco, ficando a cada dia mais intragável. Minha situação rolava ladeira abaixo e, mesmo que eu me tornasse a madre Teresa de Calcutá, dificilmente minha relação se restabeleceria.

Mas se antes eu era um ser quase invisível nas ruas, ao menos nisso o namoro com Lucas me transformou em uma pessoa melhor. Tornei-me uma estrela, uma verdadeira celebridade. Era só estar ao lado dele que o mundo sorria para mim. Está certo que, às vezes, era de escárnio, mas que sorria, sorria. Minha relação com os meninos também estava melhor. Emagreci, claro. Com tanto *crossfit*, quem não emagreceria? Lauro voltou a aparecer com frequência. Não porque a paixão tivesse feito de mim uma mãe que desenhava um jardim florido em vez de notas de dólares, não! Lauro voltou a aparecer depois que descobriu que seu lugar no armário já estava repleto de camisas quadriculadas e *t-shirts*. No lugar daquele papo insosso de que iria me ensinar a ser mãe, ele começou a usar uma nova estratégia. Aparecia sempre com a pele bronzeada, óculos escuros novos, sorriso no rosto. Um dia levou os meninos para comer um sanduíche e disse que também estava morando com outra pessoa. Ela era muito legal e iria levá-los para conhecê-la na próxima vez. Deve ter falado mais uma porção de coisas, mas os meninos só me contaram isso. Não estavam tristes, acho que foi tudo tão rápido que eles devem ter assimilado como normal o fato de os pais terem se separado e já estarem com outra pessoa.

Mas, para mim, não parecia tudo tão normal assim, principalmente quando as coisas fugiam do meu controle, como no sábado em que me vi no carro com os meninos e Lucas indo almoçar na casa de seus pais. Estava mal-humorada. Sabia que seria alvo dos mais perversos julgamentos quando vissem seu filho tão bem-feito e com tanto futuro chegando com uma coroa e seus dois filhos. A desculpa mais razoável que repetiriam para si mesmos, acobertando o preconceito, seria: "Mas não teremos nossos próprios netos? Ela nem mais filhos pode ter!". Mas olhem, estão reclamando de barriga cheia, não posso ter filho, mas já trago dois prontinhos, e sem nenhum defeito. Ensaiava respostas como essa quando Lucas parou o carro em frente à casa de seus pais. Estava feliz, sua beleza explodia em ocasiões como essa. Olhou os meninos pelo retrovisor:

— Estão prontos para conhecer o Trusty?

Era o tal do labrador. Os meninos me perturbavam diariamente para o Lucas trazê-lo para nossa casa. Até parece, um cachorro em casa.

— Ele vai adorar ficar na piscina com vocês.

Que nojo! Cachorro na piscina. Os meninos estavam superempolgados. Lucas colocou a mão na minha perna.

— Tudo bem?

Respondi com a cabeça.

— Fique tranquila, os coroas são gente boa.

Os coroas... Ele até agora não percebeu que eu também fazia parte desse clube?

Lucas abriu a porta da casa. Os meninos foram andando na frente. Os pais estavam na varanda, sentados a uma mesa perto da piscina. Ele lia o jornal, ela estava no computador. Lucas percebeu que eu titubeava em avançar e pegou minha mão. Grande cena, o filho pródigo chegando de mãos dadas com a sua coroa. Me senti a Brigitte Trogneux chegando para a posse de Emmanuel Macron. Tentei tirar a minha mão, mas ele segurou firme.

O cachorro anunciou nossa chegada fazendo festa com os meninos. A mãe fechou o computador e veio ao nosso encontro, seguida do pai, um pouco mais lento. Ele tinha machucado a perna ou era manco. Chutei que os dois deviam ter pouco mais de sessenta anos.

— Clarissa, meu pai, Tomás, e minha mãe, Astrid.

Beijinhos para cá, mesuras para lá, apresentei os meninos, que logo começaram a perturbar Lucas para entrar na piscina. Ele cedeu e os três foram para dentro se trocar. O casal me convidou para sentar. O pai era muito polido, cheio de gestos cavalheirescos.

— Clarissa, tem uma garrafa de champanhe te esperando. Lucas foi muito enfático que não poderia faltar. Posso abrir?

Com certeza, champanhe não era o mais indicado para um almoço em família, mas também não poderia fazer desfeita com eles. A mãe de Lucas, que já tinha observado minhas joias e a bolsa, se levantou para pegar a garrafa e as taças. Lucas apareceu com os meninos, que pularam com tudo na piscina, seguidos pelo cachorro. O pai riu da bagunça:

— Essas crianças!

Sim, eram três crianças. Ninguém iria contestar isso enquanto eles provocavam o cachorro na piscina. Mas igualar Lucas aos meus filhos logo de cara me cheirou a desaforo. Onde estava com a cabeça quando aceitei conhecer seus pais? A mãe voltou com um balde e o champanhe dentro, depois veio com as taças. Ela mesma abriu a garrafa.

— Trouxemos esta garrafa de nossa última viagem. Visitamos esse vinhedo e adoramos. Pena que não fizessem envio de caixas, mas pelo menos trouxemos algumas garrafas na mala.

Ela parecia entender bem do assunto. Fizemos um brinde a nada — afinal, ao que brindar em uma situação tão desconfortável? Praticamente viramos a primeira taça, que estava deliciosa. Eu havia trazido um presente para a casa, orquídeas em um cachepô de prata, mas tinha esquecido no carro. Gritei para Lucas na piscina.

— Lucas, vá pegar o presente que esquecemos no carro!

Falei como sempre falo. Com minha equipe, com meus filhos, como falava com Lauro e como falo com Lucas. Dou ordem mesmo, é meu jeito. A mãe de Lucas arregalou os olhos e cutucou a perna do pai. Sua indignação foi ainda maior quando Lucas me atendeu prontamente, um cordeirinho na boca de um lobo. Ela tornou a encher nossas taças e disse que precisava adiantar algumas coisas na cozinha. O pai estava se levantando para ajudá-la e, para minha surpresa, ela usou o mesmo tom de voz que eu, dois segundos antes:

— Fique aí, você vai fazer companhia para a Clarisse!

A-há! Quer dizer que eu não era a única mandona na casa? Parte do interesse de Lucas por mim já estava explicado, isso se Freud tinha alguma razão quanto ao tal do complexo de Édipo. Lucas chegou de sunga, com o corpo molhado e os olhos verdes, segurando o vaso de prata com seis hastes de orquídeas nele. A mãe, assim como eu, ficou embasbacada com tanta beleza.

— Clarissa trouxe para vocês.

— Obrigada, Clarisse. Muito gentil. Coloque no aparador da sala, Lucas. Licença, já volto.

Apesar do esforço, ela não conseguia disfarçar seu desconforto. Lucas olhou feio para a mãe:

— O que vai fazer na cozinha?

Agora ele que parecia Antônio quando ficava bravo comigo. Será que as histórias sempre se repetem?

— Terminar o almoço, filho.

— Já está tudo pronto, mãe. Você vai ficar aqui com a Clarissa. *Clarissa* com A, ok? Não *Clarisse*!

Vamos dizer que as histórias não se repetem, mas são parecidas. Afinal, se Antônio falasse assim comigo, eu viraria as costas e sairia andando, e não me sentaria resignada como ela fez. Lucas foi deixar o vaso na sala e, depois de alguns minutos, veio da cozinha com o aperitivo. Seus pais e eu não trocamos nenhuma palavra nesse meio-tempo, apenas nos servimos de mais champanhe. Lucas serviu os meninos de chá gelado e voltou para a piscina. Eu peguei o celular, claro. Era sábado, não tinha tanto e-mail para responder, mas sempre havia algum artigo para ler. O pai ficou incomodado quando me viu com o celular e resolveu falar:

— Onde vocês se conheceram?
— Em um curso de culinária.
— Da Helga Matos?
— Isso, conhece?
— Claro.
— Perigosa ela.
— Perigosa por quê? — a mãe resolveu falar.
— Tem uma atração estranha por sangue e entranhas.

A mãe riu. O pai deu uma bufada. Já não me lembrava mais do nome deles. Devia ter memorizado com Lucas antes de sair de casa. Com certeza eu tinha levantado um assunto polêmico, o certo era desviar a rota, mas já estava tudo tão encruado que decidi me divertir:

— Um dia cheguei à aula e dei de cara com um porco aberto e ela praticamente enfiada lá dentro. Um cheiro de sangue horrível pela sala: ela, com uma faca enorme na mão, retirava as tripas e os órgãos do porco com um prazer estranho...

A mãe riu muito, o pai tentou manter o ar ofendido, mas acabou rindo também. A garrafa de champanhe já estava vazia.

— Tomás, vai pegar outra. Conta mais, Clarisse!

Tomás! Não podia mais esquecer o nome. Se bem que aquele "Clarisse" me dava o direito de chamá-lo do que eu quisesse.

— Chegava sempre atrasada, nunca saio cedo do trabalho. Ela logo me chamou para conversar. Queria saber se eu estava gostando, respondi que sim, afinal, não iria dizer que não com tanta faca ali por perto, mas disse que o porco deu uma assustada. Ela pediu que eu não chegasse mais atrasada e mencionou que logo me acostumaria a dissecar animais. Nunca mais voltei.

— Ela é uma louca, acho uma chata. Entende de cozinha, claro, mas pensa que é a única pessoa no mundo que entende.

O pai chegou com o champanhe e, enquanto abria a garrafa, tentou mudar de assunto:

— Qual é sua especialidade, Clarissa?

— Trabalho vendendo e comprando empresas.

— Não, na cozinha.

Olhei para Lucas e os meninos, que jogavam bola na piscina. Poderia continuar me divertindo, afinal, não passaríamos daquele primeiro encontro.

— Gosto de desconstruir pratos clássicos...

Champanhe era uma maravilha mesmo. Dizemos coisas que impressionam a nós mesmos.

— Você estudou com o Paul Bocuse?

Paul o quê? Já estava começando a me complicar, melhor acabar com o assunto.

— Não, não tive oportunidade. Sou autodidata mesmo. E vocês, os dois cozinham?

— Aqui em casa todo mundo cozinha. Mas por prazer. No restaurante, só montamos o cardápio, nem entramos na cozinha. E parece que continuaremos a tradição, Lucas só namora mulheres que cozinham. A ex-namorada dele atualmente está na cozinha do Massimo Bottura.

Ela iria precisar de muito mais do que uma ex-namorada cozinheira para fazer ciúme em mim.

— Pois é, Lucas disse que me escolheu depois de me ver fazer um omelete.

— Se conseguiu impressionar o Lucas com um omelete, é porque é boa mesmo. Ele é quase chato de tão exigente.

Não sei se era o champanhe, mas o almoço estava começando a ficar divertido. Os dois bebiam na mesma velocidade que eu, estava um dia quente, tudo contribuindo para que às onze da manhã já estivéssemos bêbados.

— Assim que ele tiver a resposta do novo restaurante do Ferran Adrià, ele se muda para a Espanha.

Tomás cutucou a mulher por baixo da mesa.

— Qual o problema? A Clarisse já tem idade suficiente para saber que namoricos não são prioridade na vida de ninguém. O Lucas tem toda uma vida pela frente. E te digo mais, não é porque sou mãe, não, mas acho que ele terá um futuro brilhante.

Aquela mulher, quando bebia, ficava pior que eu. Se fosse mais jovem, a contrataria para a equipe. Total perfil. E eu, se fosse mais jovem, talvez ela ao menos se esforçasse para acertar meu nome, se bem que duvido. Não deve suportar nenhuma namorada do filho, pelo simples fato de não ser ela ali, compartilhando a cama com ele. O fato de os meus filhos apenas me suportarem era excelente, nunca sofreríamos com o complexo de Édipo.

— Você não concorda, Clarisse? — enfatizou, apontando o filho na piscina.

— Concordo com você! Toda noite que chego em casa e Lucas está com o jantar pronto, com aquelas mesas que ele coloca — porque, além de cozinhar, ele tem o dom de servir —, eu penso que ele fará uma coleção de estrelas Michelin quando tiver o próprio restaurante. Eu sempre falo para a gente sair, jantar fora. Não quero ele sempre na cozinha, mas ele diz que nada o faz mais feliz do que cozinhar para mim…

Tomás começou a se divertir, mas a mãe — precisava descobrir o nome dela com urgência! — estava a fim de guerra. Não disse que deveria trabalhar no mercado financeiro? Faria carreira lá.

— Pois é, ele tem isso mesmo, um fogo de palha… Quando está empolgado com alguma coisa, dá tudo de si. Uma delícia, né? Pena que seja tão inconstante.

— A gente aproveita enquanto pode, né?

— Você gostou do champanhe? — Tomás sabia que podia vir coisa pior por aí e tentou encurtar o assunto.

— Adorei! Muito bom mesmo, tem certeza de que não conseguimos comprar por aqui?

— Astrid procurou em tudo que foi importadora.

Astrid! Até que enfim esse homem falou o nome da mulher! Tomás e Astrid, não ia esquecer mais!

— Vamos brindar? — Astrid disse. — Afinal, temos que aproveitar enquanto podemos, né? — E piscou para mim, do mesmo jeito que Lucas, mas, claro, sem nenhum encantamento.

Brindamos. Lucas nos observava da piscina e parecia feliz de ver que eu estava me dando tão bem com seus pais. Uma imagem vale mais do que mil palavras.

— Vou pegar a última garrafa que temos dessa leva. Mas fique tranquila, Clarisse, Lucas nos preveniu que você bebe muito, colocamos várias garrafas para gelar.

Tomás se adiantou a ela e se levantou da mesa.

— Pode deixar que eu pego.

Astrid ficou observando o marido ir para dentro da casa. Deu um suspiro assim que ele entrou. Depois olhou para Lucas na piscina.

— Aproveite mesmo enquanto pode, Clarisse. O pai dele costumava me procurar pelo menos uma vez por semana, mas há anos que não encosta em mim. Até o Lucas, que era meu menino, que não desgrudava de mim, agora se irrita com qualquer telefonema meu... Os anos vão passando e a vida de uma mulher fica cada vez mais solitária. Você ainda não está tão velha, seus filhos estão novos, precisam de você, tem o Lucas, mas logo, logo nenhum deles estará ao seu lado.

Essa mulher precisava ser medicada. Sei o perigo do champanhe, mas ela conseguia ficar pior que eu. Devia pedir para ela passar um tempo com minha equipe, quero ver se não pediriam para eu voltar correndo. Mas, mesmo ela tendo tantas armas apontadas para mim, senti pena dela.

— Astrid, se você se sente sozinha, compre uma passagem, viaje para algum lugar bem longe, faça um curso de gastronomia, jante com o primeiro cara que te der bola. O mundo é grande, não deve reduzir a sua vida ao seu marido e filho.

— Não é tão fácil assim!

— O que não é tão fácil?

— Quem vai cuidar do restaurante?

— Tem seu marido e seu filho. Para alguma coisa tem que servir estar casada e ter tido um filho...

Ela me olhou espantada. Não recuei. Tínhamos perdido a polidez social logo na primeira garrafa.

— Não tenho tempo, de verdade.

— Por que não?

— O restaurante.

Bem, se ela fosse ficar insistindo naquilo, problema dela. Não disse mais nada. Tomás veio, serviu nossos copos e disse que ia finalizar o almoço para servir. Astrid acompanhou seu andar manco.

— Eu estou velha. Ninguém nunca mais vai me chamar para jantar.

— Astrid, depois de ter dito de várias maneiras que estou velha para seu filho, você bem que poderia usar isso como exemplo. Vá, viaje sem medo. Coloque uma roupa bonita. Com certeza alguém vai se interessar por você!

— Você acha que todo mundo tem sua sorte?

Já que ela não desistia de atirar, voltaria para o *front*.

— Ou o meu brilho?

— Brilho, sei. Você não se pergunta o que o Lucas viu em você?

— Não. Ou melhor, às vezes, sim, mas antes mesmo de conseguir pensar na resposta, ele já me ligou para dizer que vai cozinhar para mim e que está com saudade. Aí eu penso que não importa o que ele viu em mim. Vou viver um dia de cada vez.

Astrid abotoava e desabotoava um botão da camisa enquanto olhava Lucas na piscina com os meninos. Daí virou sua taça de champanhe e nos serviu de mais. Tomás gritou da cozinha que podíamos ir para a mesa. Lucas saiu da piscina com os meninos.

— Um dia de cada vez? — ela disse, sugerindo um brinde.

Brindamos. Lucas veio até nós, beijou minha cabeça e colocou a mão nos ombros da mãe.

— Tinha certeza de que se dariam bem. Vamos comer?

CAPÍTULO 18

No banco, minha derrota estava clara e naturalmente as pessoas começaram a me isolar. Para fazer parte dos grupos, você tem que estar na crista da onda, produzindo, jogando, e eu já era considerada por todos carta fora do baralho. O que fazer em um momento como esse? Transformar a vida de todos em um inferno, ao menos dos que estão ao seu alcance. Chegava cada dia mais cedo e saía cada dia mais tarde. Nunca trabalhei tanto e nunca exigi tanto da equipe. Montei grupos de estudos para assuntos que não dominávamos, chamei outros profissionais para nos dar palestras, pedi apresentações deles. Era minha forma de deixar a vida da equipe mais difícil, claro, afinal, se eu estava naquela situação, era também por causa deles. Mas o que não percebiam, Luiz talvez, era que eu estava nos preparando para o futuro, já que ninguém mais ficaria no banco, não ao menos naquela composição. Eu sairia por conta daquela meta ridícula, já eles ajudariam o Miguel a afundar a área poucos meses depois que ele se sentasse em minha cadeira. Dessa forma, como estávamos todos predestinados ao desemprego, que ao menos estivéssemos mais capacitados para procurar um novo trabalho.

Um dia, depois de convidar três pessoas para almoçar e todas terem negado meu convite, resolvi usar meu trunfo.

Liguei para Lucas e perguntei se ele podia vir me pegar no escritório para almoçarmos.

— Sobe quando chegar.

— Subir? No seu trabalho?

— Sim.

— Você está bem?

Lucas tinha ficado algumas vezes emburrado por eu sempre lhe pedir para parar na esquina quando me deixava no banco. Ele afirmava que eu tinha vergonha dele.

— Claro que não — eu dizia.

— Então me deixe subir, conhecer sua mesa.

— Você acha que alguém leva o namorado para conhecer a mesa, Lucas? Isso é mercado financeiro! Não é o ateliê de um artista!

Ele nunca se dava por vencido, e eu cada vez mais evitava pedir que ele me deixasse no trabalho, só para não ver sua cara emburrada quando parávamos na esquina. Mas, depois de perceber que meu fracasso me tornara uma pessoa invisível, resolvi mudar o jogo.

Quando a recepcionista ligou anunciando Lucas, fui ao seu encontro e peguei-o pela mão. Mostrei minha mesa, apresentei minha equipe, as pessoas que se sentavam à minha volta, até um café ofereci a ele. De mãos dadas entramos, de mãos dadas saímos. Quando voltei para o escritório, parecia que havia voltado a ser a Clarissa de sempre, as pessoas passando pela minha mesa, puxando assunto, uma verdadeira celebridade. Durou pouco, mas toda vez que Lucas aparecia, mandava-o subir. Ele passou a trazer bolos ou tortas, que deixava ao lado da área do café. Nunca vi tanta mulher ingerindo doce e cafeína. Achava meio exagerada essa comoção feminina, mas vai saber o que as mulheres estavam enfrentando por aí. Eu mal conheci o mercado, nem aplicativo deu tempo de ter, pois, quando Lucas deitou na minha cama, ela nem tinha esfriado de Lauro. Esse foi outro que acendeu um cigarro no outro. Inclusive, fumou dois cigarros ao mesmo tempo. Nunca tinha parado para pensar por quanto tempo Lauro manteve a dupla relação. Eu ralando para pagar as contas e ele, fingindo cuidar da lojinha de mate, estava mesmo era fornicando por aí. Mas que importa isso agora? O rei do mate nem era mais problema meu. Até as questões práticas já tínhamos resolvido. Ele pegava os meninos duas vezes na semana e nos fins de semana, alternávamos. Os imprevistos ele resolvia direto com sua xará. Laura e Lauro, esse, sim, foi um casamento perfeito. Comigo pagando as contas, claro. Mas a professora dos valores humanos diria que isso não tem importância. E para Lauro, pelo jeito, as contas nunca seriam preocupação. Aos poucos, fui descobrindo que a buça da academia não só tinha nome de herdeira como estava mais para cliente do banco que para atendente de telemarketing. Com esse nome também, era óbvio que era herdeira de um bom patrimônio. Os meninos voltavam falando da piscina da casa, da quadra de tênis, do fim de semana no barco, e de quanto era chata e rabugenta. Numa sexta, chegando em casa, vi Laura conduzindo os meninos até o carro de Lauro. Nem sinal de sua caminhonete quatro por quatro para as aventuras do fim de semana. Agora Lauro andava de carro de luxo. O rei do mate continuaria despreocupado e com as contas pagas. Fiquei feliz por ele, sua vida continuaria cabendo na planilha deficitária de sua loja de mate e ele seguiria alinhado com as professoras, seus jardins floridos e mundos perfeitos. Mas, para minha surpresa, a felicidade não durou muito. Voltei para casa em uma sexta de noite, véspera de uma viagem que faria com Lucas para conhecer um restaurante em Montevidéu, e dei de cara com os meninos lá.

— Lauro não veio?

— Não, nem ligou.

Estranhei a ausência do superpai que queria me ensinar a ser mãe. Comecei a arrumar minha mala enquanto os três meninos jogavam *videogame*, mas, como estava ficando tarde, resolvi ligar para ele.

— Oi, Lauro. Você vai vir pegar os meninos?

— Estou chegando aí.

— Vou pedir à Laura para descer com eles.

— Não, Clarissa, preciso falar com você. Pode descer sozinha?

O tom de voz deixava claro que tinha tomado chumbo da coxa da academia. Se bem que já estava mais do que na hora de passar a chamá-la de "a herdeira da academia". Desci pela porta dos fundos para que os meninos não me vissem. Lauro já estava estacionado na entrada do prédio. Nada de supercarro, estava com sua caminhonete. Ele pediu que eu entrasse e pude ver duas malas no banco de trás. Ele nem precisaria dizer nada, mas mesmo assim me contou que tivera que escolher entre ela e os meninos. Ela detestava as crianças e eles faziam de tudo para deixar a coisa ainda mais complicada. Lauro tentava driblar as situações, mas naquele dia, quando estava saindo para pegá-los, ela disse que não queria mais os meninos em sua casa. A frase mostrou para Lauro exatamente a situação em que se encontrava. A casa era dela e nunca seria deles; e os meninos nunca seriam bem-vindos ali. Lauro ainda tentou amenizar a situação dela, dizendo que ela sofria pois não conseguiu ter filhos etc. Papo chato, fui logo ao ponto:

— O que você quer de mim?

— Não quero ficar longe dos meninos e não tenho para onde ir...
— E?
— Posso ficar aí?
Não estava acreditando na coragem dele.
— Vocês não vão viajar no fim de semana? Só esses dois dias...
— E o Lucas?
— O que tem?
— Você acha que ele vai aceitar?
— Claro que vai.
— A Maria Antonia não aceita nem seus filhos e Lucas vai aceitar você em casa?
— Claro...
— Como, claro, Lauro?
— Lucas é jovem, Clarissa.
— E a Maria Antonia é o quê?
— Ela já é mais velha, cheia de manias...
— Velha? Velha quanto?
— Interessa mesmo?
— Agora vai ter que contar!
— Cinquenta e seis.
Fiquei chocada. A famosa bunda da academia, além de rica, era velha? Ou seja, de bunda não tinha nada... Olha como é o preconceito que temos das coisas...
— E aí?
— Está bom, vou lá falar com o Lucas.
E não é que o Lauro estava certo? Lucas nem ligou. Lauro dormiu no quarto com os meninos, que estavam pulando de alegria, e Lucas usou toda a sua juventude para deixar claro que ele era o dono do pedaço agora. Eu já estava tão habituada àquilo que, no dia seguinte, nem de perna aberta andava.

CAPÍTULO 19
―

Estávamos sentados no restaurante e nada seria mais animador do que o champanhe gelado, o menu degustação e a mão grande e quente de Lucas pousada em minha virilha. Ele insistia que eu falasse do banco, mas eu escorregava. Perguntei sobre o restaurante da Espanha.

— Que restaurante?

— Aquele onde você pretende trabalhar.

— Quem te falou isso?

— Sua mãe.

Lucas riu. Nunca me cansaria daqueles dentes.

— Tá bom. Se não quer falar do banco, fale de Lauro.

— Mas eu te fiz uma pergunta.

— Clarissa, já não caio tão fácil no seu enorme poder de conduzir as coisas. Quero que fale de você. Não vai falar do banco, então fale de Lauro. Por que ele voltou?

Lucas estava crescendo a olhos vistos.

— Disse que a Maria Antonia não queria mais os meninos na casa dela.

— Isso você já me contou.

— E o que mais quer saber?

— Por que ele voltou para a *sua* casa?

— Não tinha para onde ir.

— Ah, não tinha para onde ir...
— Ele não tem onde cair morto.
— Acha mesmo que voltou para lá porque não tinha nenhuma outra opção?

Sabe que não tinha pensado nisso?

— Ele é pai dos meninos — Lucas continuou —, respeito-o por isso. Então tudo bem ele ficar lá dormindo no quarto com o Antônio e o João. Mas ele tem que saber que o lugar ao seu lado na cama já está ocupado. Combinado?

Lauro tinha razão, Lucas era jovem e não complicava muito as coisas. Dessa vez, eu que coloquei a mão em sua virilha. Sua juventude estendia-se a cada pedaço de seu corpo.

— Agora pode falar da sua ida para a Espanha?
— Esse assunto é antigo, minha mãe queria só te provocar.
— Por que antigo? Não foi aceito?
— Até fui, mas os caras avisaram que é o último ano do restaurante. O cara cansou de cozinhar. Aí desisti de ir. Não queria mudar toda a minha vida para ficar pouco tempo por lá... E, no meio disso tudo, conheci você.

Pedi que me servisse de mais champanhe. Com toda a minha escrotidão, o que fiz para merecer esses dentes tão brancos e esse pau tão rígido?

— Você tem o sorriso mais lindo que já vi — falei.
— Imagino que essa seja a maior declaração de amor que consiga fazer...
— Por quê? Você consegue fazer melhor?

Ai, essa minha mania de competitividade.

— Muito melhor. Eu te amo, Clarissa.

Bem feito! Foi beber champanhe e falar o que não devia, ouviu o que não queria! O que eu faria com aquele "eu te amo" agora? Nem se fosse uma série da Netflix eu iria acreditar no amor desse jovem por mim.

— Obrigada, Lucas.

Achei que agradecer fosse simpático, mas Lucas teve um acesso de riso. Riu tanto que fiquei até irritada.

— Qual a graça?

— Esquece.

Achei melhor esquecer mesmo. O garçom chegou com uma nova etapa do menu. Falou rápido, não deu para entender nada. Lucas pediu que ele repetisse de forma mais lenta, mas continuamos sem entender.

— Se minha mãe estivesse aqui, chamaria o *chef*.

— Imagino.

Lucas ficou me olhando.

— O que foi?

— Por que nunca me contou que você e minha mãe não se deram bem?

— Não nos demos? Achei que conseguimos ser razoáveis.

— Eu achei naquele dia que tinham ficado amigas...

Dessa vez, fui eu que ri.

— Você devia ter me contado — ele continuou.

— Te contar o óbvio?

— Por que óbvio?

— Sua mãe não ia suportar saber que você está namorando uma coroa. Isto é, se de alguma forma suporta saber que você namora.

— Nós brigamos essa semana. Não vou mais trabalhar no restaurante.

— Brigaram por quê?

— Por sua causa.

Respirei fundo. Virei a taça de champanhe.

— Semana que vem vocês fazem as pazes.
— Você vai me deixar semana que vem?
— Não pretendo.
— Então continuaremos brigados.
— Sua mãe me odeia assim?

Lucas pegou minha mão. Que boba a Astrid, sem tática nenhuma de luta. Se queria o filho de volta, deveria me diminuir aos olhos dele, ao invés de me fazer enorme.

— Clarissa, você não tem vontade de abrir um restaurante?
— Claro, durmo pensando nisso todo dia.
— Sério!
— E o que eu serviria no meu restaurante? Champanhe? Porque a única coisa que sei fazer é abrir uma garrafa.
— Eu seria o *chef*! Faz muito tempo que quero abrir meu próprio restaurante. E você gosta tanto de comer bem, gosta da minha comida, acho que poderemos ter uma boa sociedade.

Vou pedir ao Lucas para conversar com minha equipe e saber como é trabalhar comigo. Em uma semana, ele volta para o restaurante da mãe. Capaz até de ela me ligar para agradecer.

— Você lembra do Roi? — ele perguntou.
— Perto do banco?
— Isso! Fechou há um mês. Já fiz contato com a administradora do imóvel. Fiquei de ir lá essa semana para ver como está a casa, o tamanho da reforma... Quando tiver uma noção do investimento, te falo.

Ele estava reluzente nos seus planos societários comigo. Deixei que falasse à vontade. Disse que faltava um bom restaurante de comida contemporânea no Itaim, que tudo por ali era muito temático. Comida portuguesa, espanhola, italiana... Quem ainda aguentava um restaurante italiano? E eu poderia divulgar pelo banco, por toda a Faria Lima, já que conhecia tanta gente do mercado financeiro, e logo, logo o restaurante já estaria no boca a boca. Falou da decoração, tíquete médio dos pratos, carta de vinhos... Fiquei convencida de que ele estava realmente pronto para alçar voo. Só não seria comigo.

— Lucas, eu te apoio no que precisar. Só não queira ser meu sócio.

— Por que não?

— Vou te contar uma coisa. Minha equipe começou um movimento para me tirar do banco. E sabe por quê? É muito difícil trabalhar comigo.

— Duvido! Você?

O pior cego é o que não quer enxergar.

— Sim, eu! Não sou essa flor tão cheirosa...

— Me conta o que está rolando.

Cabeças, Lucas, cabeças estão rolando. Mas a deixa era boa, decidi afastá-lo daquela ideia insana de querer ser meu sócio.

— Minha equipe diz que eu sou intragável, que os destruo a qualquer oportunidade e que, por isso, querem se ver livres de mim. Tenho um ano, ou melhor, oito meses para conseguir trazer para a área uma quantia impossível de dinheiro, do contrário, estou fora do banco.

— Quantas pessoas são na sua equipe?

— Quatro *seniors* e alguns analistas.

— Quatro homens esses *seniors*, né? Eu já os conheci, mas não me lembro.

— Quatro homens.

— Todos homens grandes e barbados?

— Claro.

— Quatro homens grandes e barbados se juntaram para tirar você do banco?

— Viu como é difícil trabalhar comigo?

— Não vejo dessa forma.

— Como não? De que forma você vê, então?

— Vejo uma mulher lutando sozinha de forma desigual contra quatro homens. Imagino que tenha batalhado bastante para estar onde está. E eu sei o quanto se dedica e gosta do que faz. Não é certo quatro homens se juntarem contra uma mulher competente e que cumpre suas obrigações só porque estão magoados com o jeito dela. O próprio banco deveria te proteger disso. Você não tem um chefe?

— Claro.

— E o que ele disse?

— Que, se eu não conseguir alcançar essa meta impossível em um ano, a cadeira será do Miguel.

— Quem é o Miguel?

— Um dos *seniors* da minha área. Está na Argentina agora, por isso não o conheceu. Ele que começou o movimento. Se eu sair, a cadeira é dele.

— Você devia deixar o banco.

— Como deixar o banco?

— Abre o restaurante comigo, esquece o banco. Você dá a sua vida por eles, Clarissa, e eles não ligam a mínima para você.

Ainda bem que estávamos na sobremesa. Aquela conversa estava me incomodando. Por que o Lucas queria agora vir com aquele papo chato? Tínhamos pegado um avião para experimentar o restaurante e ele queria estragar o jantar?

— Vou pedir a conta.

Lucas percebeu que não deveria avançar mais. Chegamos ao quarto e ele ainda tentou o *crossfit*, mas eu estava quieta, de canto.

Quando chegamos ao Brasil, seu celular estava cheio de mensagens da mãe dizendo que o pai havia passado mal e estava no hospital. Astrid deve ter dado veneno para o marido só para ter uma desculpa para ligar para o filho. Lucas foi direto do aeroporto para o hospital e eu parei em um bar antes de ir para casa. Fiquei no balcão sozinha. Ou melhor, acompanhada de uma garrafa de champanhe. Quando cheguei em casa, dei de cara com Lauro.

— Que cara é essa? Cadê o Lucas?
— Quanta pergunta, Lauro. O Lucas foi ver o pai no hospital. E você, ainda não voltou para a Maria Antonia?
— Ele está mal?
— Ele quem?
— O pai do Lucas!
— Nada, desculpa da mãe para ter o filho de volta.
— Então por que você está com essa cara?
— Que cara?
— De infeliz.

Eu, cara de infeliz? E, como se essa frase fosse um botão de *start*, sem mais nem menos, comecei a chorar. Champanhe é uma merda mesmo! Lauro me abraçou. O tamanho e a força de seu abraço eram muito diferentes do abraço de Lucas. Era diferente, mas não era novo, uma sensação parecida com visitar a casa da infância depois de vários anos.

— Vai dormir — eu disse, tentando sair de perto dele.

Lauro não se mexeu, seus braços continuaram a dar contorno ao meu corpo. Meu choro ficou mais forte, não conseguia me controlar. O certo era eu nunca mais beber champanhe na vida. Fiquei tão aterrorizada por aquele silêncio, em que só se ouvia meu choro, que comecei a contar para Lauro o inferno que estava minha vida no banco.

— Você sabe o quanto dei duro, desde cedo, para estar onde estou. Quantas viagens deixei de ir com você, ainda solteiros, para ficar no banco. Sempre soube que tinha que dar mais que os caras que começaram comigo se quisesse sobreviver lá dentro...

Contei sobre Miguel, sobre a equipe, sobre a impossibilidade de entregar o que eles me pediam. Ele ficou quieto, ouvindo. E eu, em vez de me controlar, chorei uma tristeza prolongada, doída, que não sabia nem de onde vinha. Lauro não afrouxava os braços e, quanto mais me espremia, mais lágrimas saíam de mim. Sabia que a única maneira de estancar aquela dor tão sem propósito era ele retirando seus braços, mas eu não tinha força para sair deles. Por fim, me calei e quase adormeci. Ele me levou até a cama, se deitou ao meu lado e fez carinho em minha testa até que eu adormecesse.

Acordei assustada com o barulho da porta do quarto. Era Lucas chegando. Olhei para o lado e respirei aliviada ao ver que Lauro não estava lá. Minha boca estava seca e minha cabeça doía.

— Como está seu pai?

— Bem, ele teve pedra nos rins. A crise foi forte, minha mãe ficou muito assustada. Tive que cuidar mais dela do que dele.

— Você pega um copo de água pra mim?

Ele voltou da cozinha com a água e tirou a roupa para colocar o pijama. Deveria rezar vinte pai-nossos e vinte ave-marias só de ter aquela visão de madrugada no meu quarto, mas andava tão mal-agradecida que, em vez disso, andava chorando por aí, maldizendo a vida. Pararia no dia seguinte de beber champanhe. E Lauro, estava dormindo no quarto dos meninos? Lucas leu meu pensamento:

— Lauro está aí?

— Acho que sim.

— Você o viu quando chegou?

— Rápido, já estava indo dormir. Parei para comer direto do aeroporto e cheguei tarde em casa.

Lucas deu um suspiro que pareceu ser de alívio. Estava cansado. Virei o copo de água e me deitei ao seu lado. Ele me abraçou. Seu braço era mais duro que o de Lauro, menor também.

— Que bom que está em casa.

Lucas me beijou e adormecemos juntos.

CAPÍTULO 20

Já estava pronta para ir ao banco quando entrei na copa e me deparei com a seguinte situação: Lauro sentado entre João e Antônio com o jornal aberto, explicando a eles a tabela do campeonato brasileiro. Lucas servia-os de ovos mexidos ao mesmo tempo que completava algumas informações que Lauro deixava escapar. A conversa era conduzida por uma otimista certeza de que o primeiro time da tabela seria campeão naquele ano. Pela harmoniosa atmosfera, era óbvio que todos torciam para o mesmo time. Posso falar mal dos homens, achar uns bestas etc. e tal, mas admiro a sua capacidade de simplificar a vida. Basta torcer pelo mesmo time, o resto se resolve. Laura entrou na copa trazendo uma jarra de suco e seu olhar anunciou a todos que eu estava ali na porta. Pensa que se retraíram? Nada! Só Laura e eu é que éramos caretas o suficiente para achar aquela cena um pouco estranha. Lucas veio até mim com a panela na mão e beijou meu pescoço.

— Está cheirosa!

Lauro pareceu desconfortável naquele momento. Ao menos isso. Mas minha sensação era de que o incomodava mais o fato de um homem tão jovem e tão bonito se derreter por uma coroa rechonchuda do que qualquer tipo de ciúme.

Sentei à mesa, João me perguntou para que time eu torcia. Ah, as crianças, tão ingênuas.

— Não ligo para essa bobagem, João.

Lucas e Lauro me olharam com o mesmo tipo de repressão. Vixe, enfrentaria agora um complô?

— O que sua mãe quer dizer é que ela não gosta de futebol o suficiente para torcer para algum time.

— Se eu fosse você, torceria para o nosso. Ele é o primeiro do campeonato.

— Primeiro hoje, mas não demora e já cai da liderança — complementei.

Lucas, que havia me servido de ovos e sentado ao meu lado, me cutucou por baixo da mesa.

— Ei, João, nosso time não vai cair, não! Escuta o que eu e teu pai estamos te dizendo, este ano seremos campeões!

— Isso aí! — disse Lauro se levantando da mesa. — Agora vamos, senão vocês se atrasam para a escola. Vou junto com o Roberto deixar vocês. Falem tchau para sua mãe e para o Lucas.

Obedientes, deram beijos em mim e em Lucas. Tinha que admitir que eles eram crianças melhores ao lado de Lauro.

— Por que falou aquilo?

— O quê?

— Que o time vai cair!

— Porque um dia vai...

— Mas não precisa colocar isso desse jeito.

— Quantas vezes tenho que dizer que sempre vou mostrar aos meus filhos o mundo real?

— Mas pode dar um desconto numa segunda-feira às sete da manhã.

— Você está parecendo o Lauro falando.

Achei que fosse ficar chateado, mas nem ligou para o meu comentário. Como é bom ser jovem, não se irrita com nada mesmo. Nunca mais me envolvo com homens com mais de vinte e cinco anos! Pronto, decidi!

— Uma delícia, os ovos — eu disse, me levantando para sair. Ele pegou em minha mão e me segurou.

— Não esquece que o banco não é o único lugar do mundo. Boa sorte lá!

— Obrigada, vou precisar.

Falei aquilo sem nem saber o quanto precisaria não de sorte, mas de paciência para engolir o que vinha pela frente. Não falei, Lucas, que a vida era assim, principalmente numa segunda pela manhã? Não eram nem nove horas, estava sentada à minha mesa, quando vi entrar o Miguel. Sorridente, deu bom-dia para todos como se nunca tivesse sido expatriado para a Argentina e se sentou em uma cadeira a poucos metros de mim. Pude ver na lentidão com que ligou seu computador que passou todos os meses ensaiando aquela volta. Assim que Bloomberg acendeu em sua cara, ele se virou para mim sorridente e acenou com a cabeça. Sorri de volta. Abri minha caixa de mensagens e fingi que estava escrevendo para o chefão. Afinal, era o que todo aquele povo que me observava esperava que eu fizesse, mas, em vez disso, fiz uma reserva para o almoço e chamei Lucas para ir comigo. Eu não precisava de reunião com o Tanuri. Ele tinha quebrado nosso acordo, não havia mensagem mais clara. Se fosse tirar satisfação, tudo que ouviria dele seria um monte de balela. Preferia gastar meu ouvido com os beijos de Lucas e seus planos absurdos de ser meu sócio em um restaurante. Mas antes, claro, convoquei uma reunião com a equipe. Eles entraram na sala de cabeça baixa, como se estivessem tristes com a volta do Miguel. Falsos. O único que parecia realmente preocupado era Luiz. O mais inteligente, claro. Sabia que a volta prematura de Miguel era o anúncio de que a área morreria em poucos meses. Ele era o único que tinha consciência da competência que Miguel teria para afundar a área.

— Estão felizes com a volta do amigo?

Silêncio.

— Quero um relatório da área dos últimos seis meses. Quero o andamento das prospecções e o detalhamento das execuções dos *deals* atuais. É o que tenho para entregar, mas com certeza não será o suficiente para continuar na área. Então se preparem que em breve acabará a triste vida de vocês ao meu lado e poderão ser felizes para sempre ao lado do Miguel.

Cheguei ao restaurante e fiquei esperando Lucas. Estava atrasado porque o pneu da bicicleta tinha furado. Eu ainda custava a acreditar que estava namorando um homem que andava de bicicleta pela cidade. Não duvidei que chegasse ao restaurante com as mãos sujas de graxa. Mas com um *layout* daqueles, qualquer coisa estava valendo. Aproveitei que minha segunda-feira estava cheia de emoções e pedi de cara um champanhe para comemorar. Foda-se o banco, foda-se o Miguel, fodam-se as planilhas, foda-se o choro da noite anterior. E foda-se também o bom senso: quando Lucas chegou, já estava na segunda garrafa.

— Achei que não bebesse em dia de trabalho.

— Sua mão está com graxa? Não, nadinha? Como consertou o pneu?

— Você ao menos sabe andar de bicicleta?

— Claro!

— Ah, sei. Tão bem quanto cozinha?
— Um pouco pior.
Os dentes, ai, aqueles dentes.
— O que suja a mão de graxa é a corrente, nada a ver com pneu. Deixei a bicicleta em uma bicicletaria.
— Ah, devo ser ignorante mesmo nesse assunto.
Ele se serviu de champanhe e propôs um brinde.
— Vai me dizer o que estamos comemorando?
— A volta de Miguel.
— Miguel? Aquele cara que está tentando pegar seu lugar no banco?
— O próprio.
— Mas você não tinha mais oito meses até ele voltar?
— Pois é, para você ver por que eu disse ao João que amanhã o time dele vai perder. A vida é muito mais complicada do que querem ensinar às crianças.

Lucas aproximou sua cadeira de mim e me beijou. Estava suado, não deve ser fácil lidar com um pneu de bicicleta furado. Seu cheiro mais a garrafa e meia de champanhe me deixaram bem animada.

— Clarissa, essa é sua primeira garrafa?
— Claro. Por quê?
— Nada, não. Me deixa perguntar uma coisa: por que você não sai do banco?

De novo aquela pergunta tão engraçada.

— Por que está rindo? As pessoas, quando não estão felizes no trabalho, podem pedir demissão. Ainda mais pessoas como você, que têm dinheiro para se manter.
— Você está certo, Lucas. Mas você está falando de pessoas. No mercado financeiro, somos mais que pessoas, somos pessoas que gostam muito de dinheiro. Você não sente o

maior orgulho quando alguém elogia um prato seu? Eu sinto o maior orgulho quando fecho um *deal*.

— Não entendi. Você não pode sair desse banco e ir para outro?

— Poderia, mas não é tão fácil. Esse é um meio que tem um lema: aguente ser amassado até que um dia possa amassar alguém. Se não aguenta ser amassado, se ficar de mimimi, não vai ficar no mercado. É melhor trabalhar com outra coisa.

— Então está dizendo que sua única opção é aguentar tudo isso até que te coloquem para fora ou, do contrário, não consegue outro trabalho?

— Mais ou menos isso.

— E você já pensou em parar de trabalhar?

— Você sabe o preço dessa garrafa de champanhe?

— Pode reduzir seu custo. Comer mais em casa. Eu cozinho pra você...

— Enquanto fico em casa cuidando das crianças?

— Pode ser...

Ri tanto que ele se juntou a mim. Era adorável, aquele jovem rapaz. Nada o ofendia.

— Bem, eu estou aqui para cuidar de você cada vez que um lobo arrancar um pedaço seu. E, quando abrirmos nosso restaurante, você não vai nem lembrar que existe o banco. Você será feliz ao meu lado.

Claro que eu tinha que beijar aquele homem. Nos beijamos longamente, entrelaçando meu champanhe com seu suor, até que, para a minha surpresa, reparo no Gustavo na mesa ao lado. Chegou para apreciar meu beijo de camarote e eu nem percebi? Por que os sócios do banco têm esse poder de estar sempre no lugar certo, mas na hora errada? Saí do beijo em um susto.

— Que foi?

Acenei para o Gustavo, que me cumprimentou de volta.

— Um dos sócios do banco está ali.

Lucas se virou para ele e os dois se cumprimentaram de longe.

— Se seus dias estão contados, acho que pode relaxar.

E foi o que fiz. Pedi mais uma garrafa de champanhe e fiquei namorando Lucas até ele se tocar que eram duas da tarde e precisava sair.

— Tinha que estar às duas no restaurante.

— Voltou a trabalhar lá?

— Só enquanto meu pai está se recuperando.

— Quer ir com meu carro?

— Melhor não, lá é ruim de estacionar. Nem você vai dirigindo. Bebeu muito. Deixe seu carro aí que venho pegar mais tarde.

Assim que Lucas saiu, pedi a conta. O *maître* veio me dizer que a conta já estava paga. Lucas? Óbvio que não.

— Foi o cavalheiro da mesa ao lado.

Gustavo estava sozinho na mesa e me chamou para sentar.

— Que bom que seu amigo saiu antes, queria conversar com você. É seu namorado?

— Não dá mais pra dizer que é um sobrinho…

— Não, ainda mais em uma segunda-feira celebrada com três champanhes.

— Eles não deviam te mostrar a conta, vou reclamar.

— Fique tranquila, Clarissa, você merece.

Sempre gostei de Gustavo.

— Não vai reclamar?

— Do quê?

— Da volta do Miguel.

— Cansei desse assunto. Além de ter bebido champanhe demais para me aborrecer...

— Nem desconfia de por que o trouxeram de volta?

— Para que eu saia mais rápido da minha cadeira.

— Claro, isso é óbvio. Mas por que eles têm pressa?

— Essa pergunta é boa.

— Eles querem enxugar sua área, Clarissa. Com o cenário que está se formando, por conta da crise, a área ficará muito cara com pouco retorno. Com você no comando, não conseguiriam. Você é muito boa, toca a área bem, desarticular um barco que está navegando não pega bem para o banco. Mas, com Miguel tocando, a área naturalmente vai diminuir.

— Você me convida para mais um champanhe?

E foi assim, com quatro garrafas de champanhe na cabeça, que voltei ao banco. Fui direto para a mesa do Tanuri e pedi que me encontrasse na sala de reunião. Ele disse que eu podia falar ali mesmo. Ali, com todos ao redor olhando.

— Tá bom. Assim todo mundo fica sabendo ao mesmo tempo. Vou deixar o banco.

*   *   *

Passei no café antes de sair do banco. Assim que a Carolina me viu entrando, saiu de trás do balcão e me deu um abraço. Senti-me desconfortável com tanta intimidade. Mas ela era a rainha do coração mole, eu tinha que compreender.

— Você é sempre a primeira a saber das coisas? — eu perguntei quando enfim ela me soltou.

— Senta. Vou te servir um cappuccino e um éclair. Por minha conta.

— Obrigada, Carol.

— O banco não vai ser o mesmo sem você.
— Pode ter certeza de que vai.
— Não para mim. Você que dava graça pra isso tudo.
— Eu ou você que bebeu?
Ela riu.
— Sabe que adoro ver as roupas que usa? Ia querer trabalhar em banco só para me vestir igual a você. Além do fato de que é a única mulher poderosa aqui. Poxa, a gente gosta de ver uma mulher que conseguiu vencer. E, por último, eu rio muito com a senhora, com seu jeito de falar das coisas. Meu dia fica mais divertido quando passa aqui.

Comecei a chorar. Será que enfim tinha conquistado o coração mole? Ou foi o champanhe?

— Coma o éclair — ela disse. — Vai te fazer bem!

Conversamos mais um pouco. Ela pediu para ver uma foto do Lucas, tinha ouvido falar que meu namorado era modelo e sabia cozinhar.

— Quem sabe em outra vida consigo ser que nem a senhora! — ela disse, admirando a foto.
— Intragável?
— Invencível!

Dei risada. Seu coração era tão mole que ela nem conseguia enxergar as pessoas direito.

— Viu, você agora está rindo. Gosto de você assim.

Estendi minha mão e peguei minha bolsa.

— Obrigada, Carol. Você foi minha melhor companheira de banco.

CAPÍTULO 21

O QUE FAZ UMA PESSOA DESEMPREGADA? NO COMEÇO, PLA-NOS maravilhosos de tudo que fará no tempo livre. Até começar a fazer exercícios com um *personal trainer* considerei. Mas em pouco tempo já estava fazendo a atividade preferida dos desempregados: ver televisão. Fiquei *expert* em todas as séries de todos os gêneros. Filmes? Não havia um que tivesse passado ileso. Lucas chegava de noite e me encontrava do mesmo jeito que estava quando ele tinha saído. Lauro nem me via, já que eu não saía do quarto. Quando dava fome, pedia que me trouxessem algo e comia na cama.

 Emagreci mais de dez quilos. Acho que perdi o apetite. Fiquei mais calma também. Num domingo, Lucas me convenceu a sair para almoçar. Todos nós, inclusive Lauro. Dona flor, seus dois maridos e filhos em uma espelunca qualquer. Estava meio zonza, tinha passado a madrugada vendo todos os capítulos de todas as temporadas de uma série sobre monstros; acho que por isso aceitei ir comer uma macarronada com a família em um domingo de sol. Lucas foi dirigindo, eu na frente e Lauro com as crianças atrás. Era dia de jogo e eles iriam ao estádio depois do almoço. Lauro e Lucas discutiam sobre a escalação do time. Pareciam velhos amigos, bonito de se ver. Devem ter construído essa amizade enquanto eu estava no quarto vendo televisão. Foi uma sensação estranha rever o mundo. As pessoas andando pelas ruas, o farol se tornando vermelho e depois verde, cachorros passeando com seus donos. Coisas cotidianas que não faziam mais parte da minha vida. Que vida? Abri o vidro. Nem saberia dizer há quanto tempo eu estava deitada no quarto vendo televisão. Talvez semanas, talvez meses. Chegamos a um restaurante ao qual eu e Lauro costumávamos ir quando ainda éramos namorados. Ele não tinha dito, quis fazer surpresa. Assim que nos sentamos à mesa, ia comentar que fazia mais de dez anos que não me sentava ali, quando olhei para Lauro. Ele piscou para mim.

— Segredo nosso — disse baixinho.

Claro, nós também tínhamos uma história. Fiquei tocada de ele querer conservar isso, um segredo nosso. Ver tantas comédias românticas estava me fazendo mal.

Os meninos que escolheram os pratos. Aquele tipo de lealdade masculina que tenta mostrar o que é responsabilidade aos meninos em situações mais bobas. Até parece que escolher o prato em um restaurante desenvolve o senso de responsabilidade em alguém. E, olha, pensei tudo isso e não disse nada, tão estranha eu estava. Será que era a falta de gordura no corpo? Tentei comer um pouco da linguiça que as crianças pediram de entrada, mas não desceu mesmo. Lucas perguntou se eu queria fazer um pedido diferente. Certamente, linguiça seguida de lasanha não era mesmo meu número. Pedi que ele escolhesse para mim.

— Do que tem vontade?

E pronto. Aquele momento constrangedor que ninguém precisa passar na vida. Respondi que não tinha vontade de nada e comecei a chorar. Lucas colocou a mão sobre minha perna e Lauro veio se sentar ao meu lado, pondo sua mão em meu ombro. Cena de filme, parecia que tínhamos saído de dentro da Netflix. Para completar, João vira para Antônio e diz que não sabia que a mãe era capaz de chorar...

— Claro que sua mãe sabe chorar! — disse Lauro, apertando meu ombro com mais força. — Vou pedir um champanhe, o que acha?

Respondi afirmativamente com a cabeça, envergonhada daquele show de horrores. Quando a garrafa chegou, logo vi que de champanhe não tinha nada, que era um espumante bem fajuto. Bebi mesmo assim. Lauro, sem tirar a mão de meu ombro, brindou à nossa família! E depois emendou em um papo que demorei a entender.

— O Lucas e eu pesquisamos bastante até achar esse curso. Você pensa a respeito, mas a gente acha que você precisa dessa pausa...

— São três meses, e Stanford está perto das melhores vinícolas da Califórnia.

— A próxima turma começa em maio.

Os dois seguiram falando sobre o tal do curso, que não sei quem fez, não sei quem lá dá aula. Um falava e o outro completava, e eu bebendo espumante no meio de tanto falatório. Quando enfim deram uma pausa, perguntei:

— Vocês estão namorando?

Lauro começou a rir, mas Lucas retirou a mão de minha perna.

— Estamos preocupados com você.

— Por quê?

— Porque faz dois meses que você não sai do quarto, porque você não come mais, não conversa mais, não sorri mais.

Lucas estava sério como nunca. Os dentes perfeitos estavam escondidos por sua boca contraída. Definitivamente, me apaixonei por sua versão sorridente, mas seu ar preocupado acendeu uma lanterna em mim.

Lauro, com calma, completou:

— Você precisa fazer essa viagem.

CAPÍTULO 22

Quando eu era pequena, passava os fins de semana com minha avó para minha mãe descansar de mim, como ela mesma dizia. Na hora de dormir, minha avó sempre me contava a história de três pessoas que queriam atravessar um rio, mas não sabiam como. Essas pessoas tinham nomes de sentimentos. O Amor, a Raiva, o Medo. Aí aparecia um barqueiro, que atravessava um por um. O Amor era sempre o último e, quando chegava à outra margem, perguntava o nome do velho homem. "Sou o Tempo. Só o Tempo faz passar o amor." Uma história tão boba, mas que começou a rondar minha cabeça, principalmente pelas manhãs. Em Palo Alto, a cortina não vedava direito a janela do quarto, então eu acordava com a primeira claridade. Aí vinha o barqueiro atravessando o rio. Já estava habituada a ele. Depois começava a maquinar minha vingança, pois, se o barqueiro havia passado a raiva, não foi a minha.

Nos meses em que fiquei trancada no quarto de casa vendo televisão, estava anestesiada, como se tivesse virado um vidro de calmante. E foi bom que tenha sido assim, senão explodiria de tanta raiva. Mas depois da viagem, olhando para tudo com distanciamento, vi que precisava fazer algo para me sentir vingada e conseguir olhar com desprezo o pessoal do banco. Do contrário, em poucos meses voltaria para o quarto e ninguém conseguiria me tirar de lá. Lauro e Lucas agiram na hora certa. O curso que escolheram não foi uma grande escolha, nem a casa tipo *happy family* americana. Logo me mudei para um hotel com um bom serviço de quarto e fui atrás de um curso mais interessante. Acabei achando um sobre meios de pagamento e me transferi para ele. Eu era a única coroa em meio a garotos com cara de *nerd*, mas eu já estava *expert* em me relacionar com pessoas com menos de vinte e cinco anos. Às vezes, ia com a turma para algum bar; e cheguei até a participar de um piquenique em um parque. Se eu mandasse uma foto minha no parque para Lauro, ele diria que era montagem. Na verdade, mal falei com eles no tempo que fiquei fora, precisava de uma folga de tudo no Brasil.

Na nossa turma havia um menino que se chamava Travis. Aos poucos, fui reparando nele. A forma com que via o mundo era muito à frente do tempo. Ele conseguia projetar realidades que eu nem sonhava que poderiam acontecer, mas que, depois de ouvi-lo, tinha certeza de que logo o mundo estaria funcionando desse jeito. Sempre me sentava ao seu lado quando estava com eles e, enquanto conversávamos, me lembrava de Lucas me perguntando em Montevidéu por que eu não saía do banco. Naquela noite eu ri, mas a cada conversa com Travis, a pequenez daquele riso se iluminava. O mundo estava se transformando e eu tinha que me desapegar da forma que eu conhecia o sistema financeiro. Muita coisa nova estava por vir.

Depois de três meses em Stanford, voltei para casa. Não encontrei mais Lucas, só Lauro e os meninos. Não precisei que ninguém me dissesse o que tinha acontecido. Lauro já estava dormindo em nossa cama e tinha colocado suas roupas no *closet*. Na primeira noite, dormimos abraçados. Vi pelos calos de suas mãos que havia voltado a escalar, estava mais bronzeado também. Quando acordamos, pedi que me contasse alguma história.

— Que tipo de história?

— As histórias de quando sobe montanhas.

— Como sabe que voltei a escalar?

— Suas mãos.

Ele olhou para os calos e passou os dedos por cima deles, depois me puxou para perto e, passando a mão em minha testa, contou que tinha salvado um amigo que quase caíra de uma montanha, pois a trava de segurança havia emperrado. Os dois estavam se preparando para subir o Everest, iriam assim que abrisse a temporada. Eu sentia os calos passando em minha testa. Lauro fazia com que eu me sentisse em casa.

Lucas apareceu no dia seguinte da minha volta. Estava sério, uma seriedade fabricada pelo respeito que sentia por mim. Queria me dar a notícia da forma mais correta. Havia se apaixonado por outra mulher durante os meses que eu estivera fora. Tentou evitar, estava comprometido comigo. Pensou em contar por telefone, mas não queria atrapalhar meu estudo. Achou que o correto era sair de casa e esperar minha volta. Pedi que ele me desse um sorriso. Ainda era o meu Lucas.

— Essa seriedade não combina com seu rosto.

— Você ficará bem?

— Espero que sim.

Não me referia à vida sem ele, claro. Me referia ao meu novo projeto profissional. Ele tinha que explodir, senão morreria frustrada de não ter conseguido me vingar dos meus companheiros de banco. E posso dizer que sou uma pessoa afortunada, pois o sentimento de vingança estava me guiando certeiro.

Durante o curso, tive a ideia de criar um sistema de pagamento *on-line*. Comecei a conversar com Travis sobre isso e sua mente visionária me ajudou a desenhar o projeto. Eu andava com um caderninho no qual ia anotando, além das minhas ideias, tudo que ele falava. Quando cheguei ao Brasil, estava determinada a levantar meu projeto no esquema vai ou racha. Peguei boa parte do meu dinheiro e contratei uma turma de *nerds* para desenvolver uma ferramenta de pagamentos *on-line* que protegesse vendedores e consumidores de fraudes. Não poupei esforço, tempo nem dinheiro. Quando meu produto estivesse no mercado, ele teria que estar perfeito. Travis era meu conselheiro e sócio minoritário. Minhas reservas já estavam minguando quando enfim ouvi dele que estávamos preparados para lançar a plataforma. O dinheiro que ainda tinha, gastei em marketing. Fiquei noites sem dormir. Se a *startup* não desse certo, mais do que lidar com o gosto da derrota, eu teria que dar um jeito de sobreviver da loja de mate de Lauro. Acho que nunca mais sairia do quarto, morreria lá mesmo, vendo séries na Netflix.

Mas abençoado é o Brasil, um dos países campeões de fraudes. Em muito menos tempo do que eu previa, meu negócio foi crescendo e se tornou gigante. Em dois anos, já tínhamos oito milhões de usuários cadastrados, e o número ficou cada vez maior. Meu pulo do gato foi perceber que faltavam no mercado máquinas de cartão para profissionais autônomos. Já estava perto do céu, mas, quando abri capital na bolsa e dois bilhões de dólares brilharam sob meus olhos, alcancei o Olimpo. O primeiro brinde eu ofereci aos merdas do banco e ao delicioso sentimento de vingança, que foi meu melhor conselheiro.

Lucas tinha lido sobre o sucesso da venda no jornal e me ligou no dia seguinte para dar parabéns e contar que seria pai.

— Você não vai vir conhecer meu restaurante?
— Vou, sim, agora terei mais tempo.
— Lauro veio. Reclamou que você não para em casa.
— Ainda bem, né? Ao menos garanti o futuro dos meninos.
— Demorei para perceber que você tinha razão.
— Sobre o quê?
— Sobre a aranha e a libélula.
— Aranha e libélula?
— Aquele dia, na fazenda, você disse para não soltá-la e eu e o Antônio fomos contra. Agora que estou com o restaurante, dando um duro danado, entendi o que você estava querendo dizer. A aranha também tinha dado duro para conseguir comer...
— O mundo é uma cadeia alimentar, Lucas. Ou você come ou é comido.

Ele riu. Fiquei imaginando seus dentes do outro lado da linha.

— Mas, olha, você e Antônio podiam ter soltado a libélula. Também demorei para perceber isso.
— Não entendi.
— Cada um tem sua história. Sorte dela ter encontrado vocês. Eu achava que podia controlar tudo, que tinha razão em tudo. Mas não é bem assim...

Lucas ficou um tempo em silêncio. Eu também.

— Sente saudade de mim? — ele perguntou.
— Não.

Talvez até sentisse, não de ser sua namorada, não da forma feroz que avançava sobre mim, menos ainda de andar pela rua quase dando autógrafo, mas sentia saudade daqueles dentes brancos que estavam sempre brilhando. Lucas era um cara descomplicado. Acho que por isso ficamos juntos. Eu estava atrás de um homem para admirar e achei Lucas, mas só agora consigo entender que o que admirei nele foi sua facilidade de mostrar os dentes e de viver um dia de cada vez.

E hoje, do Olimpo, quando olho para trás, vejo o barqueiro atravessando o banco, atravessando Lucas, mas deixando Lauro na outra margem. Lauro agora sabe os grandes cumes uma vez por ano. Nunca nos demos tão bem. Suas mãos estão cheias de calos e, vira e mexe, ele some por um tempo. Os meninos cresceram e hoje são dois projetos de adolescentes que querem trabalhar como voluntários pelo mundo. Congo, Nigéria, Líbia. Cada dia eles vêm com um país diferente. Eu dou força. Já que nunca vão precisar se preocupar com dinheiro mesmo, que possam colaborar com um mundo onde "all the people living life in peace", tão romantizado por suas professorinhas.

Comecei a contar a minha história daquele fatídico jantar, a partir do qual descobri que havia me tornado uma pessoa intragável. Lembra do velho da farmácia? Credo! Quase morri! Na época, achei que, se me apaixonasse, me tornaria uma pessoa melhor. Hoje, do Olimpo, vejo que, se você quer sorrir para o mundo, precisa conseguir montar uma casinha entre os deuses. Lucas já nasceu entre eles, o Deus em pessoa, por isso está sempre mostrando seu teclado de marfim. Lauro construiu enfim sua cabana a sei lá quantos mil metros de altura e é de lá que olha com satisfação para o mundo. A minha foi construída com aquelas notas de dólares que um dia desenhei para a professora. A minha casa e a de Lauro ficam uma ao lado da outra. E nunca nos demos tão bem.

Este livro foi composto em Minion Pro 11 pt e impresso
pela gráfica Paym em papel Pólen Soft 80 g/m².